林業の計量経済分析

水野勝之・土居拓務・安藤詩緒・井草剛・竹田英司　編著

五絃舎

はしがき

　本書は，林業について経済理論からアプローチした研究書である。林業の分析に経済理論を利用した例は少ない。焦点は，外材に押され気味の日本の林業のどこに問題があるのかを経済理論で解明し，その分析結果に基づいて解決方法を提案した点である。

　使用した理論は，計量経済学者のHenri Theilのシステム－ワイド・アプローチという理論をベースに著者たちがオリジナルに構築・開発したモデルである。そのモデルには次のような特長がある。

1）生産関数や効用関数に１次同次を仮定しなくても実証分析できること
2）実証して計測された効用水準は，単に順番を表すだけの序数的ではなく，正確に計測できる基数的効用であること
3）「1）」に関連し，１次同次を仮定しない形で全要素生産性伸び率を計測できたこと
4）地域分析への活用が多い産業連関表であるが，産業連関表を加工して林業を計量経済分析するデータとして活用したこと
5）「4）」に関して利潤最大にする投入係数と現実の投入係数の乖離の状態で日本の林業の問題点を指摘しえたこと

特に，1），3）に関しては，現代の行動経済学的観点から利潤最大化，効用最大化が批判されているうえに１次同次という強い仮定を置いていて，二重三重の批判対象にあたる点であるが，その解決のための一方法を示しえたといえるであろう。

　本書は，これまで書いてきた諸論文を集めて構成したものである。表紙に編著者として挙げた名前以外にも幾人かの人がこの書の前提になる論文の作成に携わった。感謝申し上げる。また，五絃舎代表取締役長谷雅春氏とは編著者代表の水野が「ディビジア指数」（創成社，1991年）発刊以来のお付き合いである。創成社を退社して長谷氏が新しく立ち上げた会社から初めて発刊させていただくことになって感無量である。本書の出版に尽力いただいたことに謝意を表したい。

　令和元年 8 月

編著者代表　水野勝之

目　次

林業の計量経済分析

第1章 林業の全要素生産性と効用の関係についての研究

—— 中間取引を考慮しないケース ——

1．はじめに

1−1 本章の趣旨と構成

　日本においては，国産材についてのメリットを言える者は少ないだろう。しかし，その国産材のメリットを言えない限り，国産材の増産とその社会へのより一層の浸透を促すことは出来ない。

　国産材こそ，我々の祖先が，自分たちのためではなく後世の我々のために植林してくれた，先祖の心そのものである。国産材のメリットは，ここにある。外材との価格競争に敗れ，国産材のシェアは低下したものの，世界的には木材の地産地消の傾向にあるいま，日本の林業のどこに問題があるのかを経済学的に検証し，もう一度国産材のメリットを再認識し，その問題解決の提案を行いたい。林業再生には多くの克服すべき本質的な問題点があり，とりわけ需要拡大政策の不足は最大の問題であり，具体的解決策が望まれている。

　そのための本章の構成は次の通りとなる。

　第2節では，統計データから林業のこれまでの経緯を俯瞰する。木材輸入は1960年代に自由化された。国内需要に国内の生産体制が対応できなかったためである（＝供給量が少ない）。その結果安い外国産の木材に押されてしまった（＝外材の輸入が増えた）。その状況は現在まで続き，日本の林業は危機的状況となってしまった。ようやく木材が出荷できる時期に達して木の供給体制が整ったのだが，いまだに価格の安かった輸入木材とのシェア争いで四苦八苦している。また労働などの生産体制が高度成長期以来崩壊してしまったことから日本の林業がおぼつかないままである。

　第3節では，林業の実情について，技術進歩が生産にどれだけの影響を与えているのかを検証する。日本の林業の技術進歩を全要素生産性伸び率で測ることとする。全要素生産性は，生産量の伸びに対して，資本と労働を除いた技術進歩などの要因がどれだけ寄与したかを表す。林業の特殊性に対応させるため，生産関数の1次同次性の仮定を外し，水野（1985）が開発した一般化残差理論を用いる。生産関数の $\frac{1}{\gamma}$ 次同次の仮定の下，同次性 $\frac{1}{\gamma}$，および日本の林業における全要素生産性伸び率の計測を行う。その結果，林業の生産においては，生産の向上へ経済外的要因の技術進歩などがうまく働いていないことが確認された。

　第4節では，国内林業への効用の計測を行う。第2節，第3節で，林業の生産側の構造がいびつであることが確認されたので，ここでは，その原因として，需要側から生産側への刺激が少ないことを示す。つまり，生産性の相対的な低下から相対価格が高止まりし，需要が減少することで，国民の林業に対する効用が非常に低くなり，国内の林業への信頼が薄れて，需要面での支持が得られていないことを明らかにしていく。その方法として，μ 次同次CES型効用関数を用いて，林業の効用を正確に測る基数的効用を計算することとした。その結果，効用が低下し，国内の林業への魅力が失われていることがわかった。

　第5節では，アンケート調査で，国産材に対する評価が上がれば林業関係者が技術進歩を体化する準備があることを明らかにする。また，その林業関係者の努力が，経済理論にどのように作用するかを明確化する。そのことによって，日本の林業の発展には，国産材への評価が高まることが先に必要であることを説く。本章の結果から，国や生産側が国産材の良さを需要側へ発することが必要であり，それによる国産材の評価の高まりが生産者へ技術進歩を体化するインセンティブを与えるという，フィードバック体制の構築を提唱する。

1－2　先行研究

　まず，日本の林業の資本ストックと労働についての研究を紹介しよう。これまでは，資本ストック増加の背景として，機械化の過程を中心に研究が行われ

てきた。小川順一（1993）では，林業における労働者の減少，高齢化の代替として，機械化が推進されたことがまとめられた。鈴木貴彰（1999）では，1980年代中頃からは，フェラーバンチャー（伐倒機），ハーベスタ（伐木造材機）のような高性能林業機械の急速な普及が述べられ，山口信行（1991）では，これらの購入を通じて資本ストックは増加をたどったことが述べられた。しかし，これら機械化の過程をたどるだけでは，実際に機械化がどの程度労働に代替することができたのか，技術の進歩に貢献することができたのかを分析することはできていなかった。

　次に本章で用いる経済理論についての先行研究を見てみよう。ここで主役となるシステム－ワイド・アプローチは，Theil.H（1980）が開発した。水野勝之（1992），同（1998）等でその特徴を生かした分析を行った。しかし，システム－ワイド・アプローチについては，日本の産業での活用例がないため，今回林業で本格的に適用した。

　技術進歩率を表す全要素生産性伸び率の計測理論については，黒田昌裕（1981）がある。これは，全要素生産性の研究を日本に本格的に持ち込んだ，先駆的なものである。しかし，制約を緩めるというトランスログ関数の有用性を生かし切れず一次同次性を中心とした分析だった。

　今日では，日本でも全要素生産性の議論が活発となってきている。櫻川幸恵（2005）では，収穫の程度や市場の競争状態を一般化した全要素生産性伸び率の計測が示されている。宮川努（2006）では，全要素生産性のこれまでの研究・議論を総括している。ここでは，計測する上でのバイアスを取り除く作業と，それに伴うデータ整備が中心であった。

　しかし，いずれも日本の林業に対して分析をしたものはない。本章では，これらの先行研究を参照し，より一歩踏み込んだ分析を行っていく。

6

2．国産材の現状

2－1　実情

　まず林業に係る基本的なデータを見ていく。以下が林業産出額（実質値：
2005年価格），資本ストック額（同），労働量である[1]。

図1-1A　林業産出額・林業資本ストック

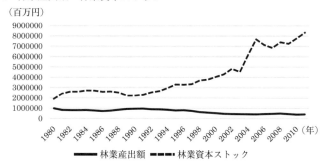

図1-1B　林業就業者数

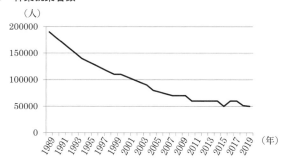

　図1-1のデータからわかることは，第1に，日本の木材産出量が確実に減少
しているということである。1980年に9876億4800万円であった林業産出額は，
2009年には4177億3900万円にまで減少している。これは，輸入関税の障壁がほ

（1）　林業雇用者数については，欠けているデータは，存在するデータ差の等分の増減を仮定して計
　　算した。

とんどないため，外国からの木材に押されていることが原因として考えられる。

　第 2 に，驚くべきことに，林業産出額の減少に伴って労働者数も減っている一方で，資本ストックが大幅に増加している。資本ストックは，1980年に 1 兆9194億6600万円であったが，2011年には 8 兆3218億6100万円に達し，約 3 倍の伸びを見せている。労働者数の減少を資本ストックが補っていると考えられるが，資本ストックは，林業産出額の約20倍である。

　本来なら，産出額，資本ストック，労働者数の増減は同一方向を向くのが常識であるが，全く異っている。林業では，産出額，労働者数が減少し，資本ストックが異常に増加しているのである。これで生産性が向上していれば問題ないが，そうでないとすれば日本の林業のいびつさを表している。

　以下では，産出額の減少，労働の減少，資本ストックの増加のそれぞれの原因について整理する。

　まず，産出額の大幅な減少についてである[2]。

　第 1 の理由は，1960年代前後に始まった政府の所得倍増政策に伴って木造住宅投資が活発化して木材の需要が増大したが，価格の高騰を抑えるため，1961年木材価格安定緊急対策が閣議決定されたことによる。これにより，それまでにも進んでいた外材輸入の自由化がより一層促進されたことで，木材産業は経営が縮小し倒産も相次ぎ，木材産業に大きな打撃となった。その結果，産出額を増やしていく体制を築くことのできない構造が出来上がってしまった。

　第 2 の理由は，為替が大きく円高に向かったことである。為替は，国産材の需要に影響を与える要因のひとつである。円高になれば，国内企業は国産材を購入するよりも，海外から木材を輸入した方が安くなるため，国産材の需要が減少してしまう。1980年代半ば以降，為替市場は円高が進み，外材輸入が拡大し続け，国産材市場は一層縮小することになってしまった。

　第 3 の理由は，国産材には価格の高騰以外にも，供給の不安定さがあるということである。植栽して伐採期を迎えた森林だけが木材として供給されるため，

---

(2)　山岸清隆（2001）pp.19-29, p.161を参照。

植栽の時期，伐採のタイミング等によって，供給できる数量に違いが生じてしまう。それに対し，海外からの木材輸入にはこの問題がなかった。海外市場は，その大量なロットで木材の安定供給を可能にした。これらの要因から，わが国の林業や木材産業は，戦後築かれてきた1,000万ヘクタールもの人工林を放置せざるを得ず，森林の荒廃がより一層進行していった。そのため産出額が減っていった。

次に，産出額の大幅な減少にもかかわらず，資本ストックが4.4倍に増えている理由を考える[3]。

第1に，補助金などで購入された資本ストックが産出増にうまく活用されていないことが考えられる。次項の労働力の問題にも関連するが，高齢化した労働者が資本ストックをうまく使いこなせないということであろう。

第2に，土砂流出などの森林の手入れ不足による災害対策として機械の導入が進んだ。1995年の時点では，日本にある人工林のうち約8割が除伐や間伐などの保育管理が必要な森林であった。このまま間伐などを行わないと，人工林資源の劣化だけでなく，災害頻度の高い森林が急増するという緊急事態であった。こうした災害防止のための資本ストックが増加したが，それらが直接には国産材の産出増に結びついていない。

第3に，第2の理由とも重なるが，地球温暖化の防止を目的とした環境整備のための機械の導入である。森林整備は，環境保全のために喫緊の課題であり，そのために資本が投入され資本ストックが増加したと考えられる。

最後に，労働量が減っている理由である[4]。

日本の林業は労働生産性が低いため，労働時間に応じて得られる収益が少なく，賃金も低水準になってしまう。賃金が低いと言うことは，言いかえれば，良質な労働者が雇いにくい環境であることも意味し，労働者不足の可能性を内包してしまっている。林業の労働者数が不足してきたため，2006年度から国において実施され始めた「緑の雇用」事業により新規就労者は増加傾向にあるも

---

(3)　山岸清隆（2001）p.19-29を参照。
(4)　相川高信（2010）p.32-37，米田雅子（2011）p.18，p.21を参照。

のの，日本の広大な森林を整備するには依然として不足している。林業労働者の減少により，生産体制が安定しているとは言い難い。

　さらに，高齢化が考えられる。林野庁平成25年度森林・林野白書によると，平成22年の林業の従事者の平均年齢は52.1才であり，全産業平均の45.8歳よりも高くなっている。

3．生産サイド：全要素生産性の計測

　林業の分析を行うにあたり，生産面でのいびつさの原因を探る。ここでは，それが経済体系外の要因に関係しているという仮説を立てる。つまり，社会全体では技術進歩が急速に行われているのに，日本の林業の中ではそれに応じた技術革新が行われてこなかった，つまり，日本の林業は進歩する技術を体化できてこなかったのではないかという仮説を検証する。

3－1　使用した理論　―一般化残差法とCES型生産関数―

1）CES型が適切な理由

　林業の場合，規模の弾力性が可変で変化するほど構造が不安定というわけではなく，安定的に推移している。つまり，「安定的に衰退している」と考えられる。このため，生産関数に，不安定でも対応できるトランスログ型ではなく，同次性を仮定したCES型を用いるのが適切であると考える。

　CES型生産関数は以下のように表される。

$$Y = b(ak^{-\delta} + (1-a)L^{-\delta})^{-\frac{1}{\delta} \times \frac{1}{\gamma}} \qquad (1-1)$$

　ここで，Yは産出額，Kは資本ストック，Lは労働量である。その他はパラメータである。

　推定に用いるデータは，本稿に掲げた図1－1の林業産出額（デフレータで2005年価格で実質化），林業資本ストック（デフレータで2005年価格で実質化），労働量（万人）である。推定期間は1980年から2011年までである。

2）CES型生産関数の推定

　企業が最適化を行えば，労働・資本比率，資本の実質価格と労働の実質価格の比率およびσが以下のように与えられる。

$$\frac{L}{K} = \left(\frac{1-a}{a}\right)^{\sigma} \left(\frac{r}{w}\right)^{\sigma} \tag{1-2}$$

$$\sigma = \frac{1}{1+\delta} \tag{1-3}$$

　ここで，rは資本の実質価格，wは労働の実質価格である[5]。

　CES型生産関数を推定するには，この式を推定する必要がある。両辺に自然対数を取ると，以下のようになる。

$$\ln\frac{L}{K} = \sigma \ln\left(\frac{1-a}{a}\right) + \sigma \ln\left(\frac{r}{w}\right) \tag{1-4}$$

　この式について，最小2乗法を用いて回帰分析を行う。

$$\ln\frac{L}{K} = -2.5123 + 0.8133\ln\left(\frac{r}{w}\right)$$
$$(-2.5939)\ (15.5319)$$
$$R^2 = 0.8893 \qquad s = 0.2838$$

よって，

$$\delta = \frac{1-\sigma}{\sigma} = 0.2296$$

である。

---

(5)　長期金利はインフレ率で実質化，名目賃金は消費者物価指数で実質化した。

3）規模の経済性の計測

（1－1）式のCES型生産関数について対数を取ると以下のようになる。

$$\ln Y = \ln b - \frac{1}{\delta} \times \frac{1}{\gamma} \ln(ak^{-\delta} + (1-a)L^{-\delta}) \qquad (1-5)$$

$\frac{1}{\gamma}$ は規模の経済（規模の弾力性）を表し，n次同次の場合の次数nにあたる。この式について，最小2乗法（OLS）を用いて回帰分析を行うと，δ が先で求まっていることから，$\frac{1}{\gamma}$ が求まる。

$$\ln Y = 27.3577 - 6.1031 \ln(ak^{-\delta} + (1-a)L^{-\delta})$$

$$(255.2628) \qquad (-1.2607)$$

$$R^2 = 0.0503 \qquad s = 0.4153$$

OLSの決定係数は高いとは言えない。ここで，

$$\frac{1}{\delta} \times \frac{1}{\gamma} = 6.1031$$

より，

$$\frac{1}{\gamma} = \delta \times 6.1031$$

$$= 1.3402$$

を得た。つまり，同次性の次数 $\frac{1}{\gamma}$ は1.3402になった。日本の林業は，国産材は規模に関して収穫逓増であった。これは，現実に資本ストック，労働を増加させるとその比率以上に産出量が増えることを意味している。

3－2　全要素生産性伸び率測定のための一般化残差法

1）理論

一般化残差法は，水野（1986）で開発した理論であり，いまは櫻川幸恵（2005）のように一般的となっている。従来の全要素生産性伸び率の計測理論は1次同次生産関数を前提として計算されてきたが，全要素生産性伸び率に技術進歩率が含まれ，資本か労働かのいずれかが強く働く可能性がある場合，1次同次性は不適切な仮定である。

一般化残差法の全要素生産性伸び率は以下の式で与えられる。

$$\rho = \text{dln}\,Y - \frac{1}{\gamma}(f_K \text{dlnk} + f_L \text{dlnL}) \tag{1-6}$$

ここで，f_Kとf_Lは要素シェアとして以下のように与えられる。

$$f_K = \frac{rK}{rK+wL}$$

$$f_L = \frac{wL}{rK+wL} \tag{1-7}$$

要素シェアは，CES型の分配パラメータと異なり，可変となり，データより計算される。

（1-6)式を計算すれば全要素生産性伸び率が求まる。

2 ）全要素生産性伸び率の計算結果の解釈

全要素生産性伸び率の計測結果は図1-2である。

図1-2　全要素生産性伸び率

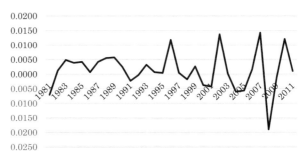

図1-2では拡大してあるので大きく変動しているように見えるが，数値事態は極めて小さく全要素生産性伸び率は大きくても1.5%であった。技術進歩をはじめ，経済体系外の要素が林業の成長に数字上はあまり寄与してこなかったという解釈が成り立つ。

このように低い水準となっている理由は以下のように考えられる。

第1に，労働力に対して技術進歩が体化されていない理由に労働の後継者問題がある。一般に，技術の伝達が上手くいってないことが技術後継の問題として取り上げられるが，林業の場合はそれ以上に深刻で，若者の後継者が育ちにくい。林業に従事する者の多くは高齢である。一般の企業を退職して，初めて林業に就職する人もいるくらいである。そのため，技術の基礎を伝達するのが難しい。

第2に，林業業種における特殊性も挙げられた。林業は他の産業と違い，植え付けから収穫（伐採）まで40年以上かかる。そのため，森林が未熟な期間は収穫出来ない。したがって，他の産業と比べ技術進歩の体化に遅れをとってしまう。さらには，林業は，突きつめて言えば木を植えて伐るだけの作業である。いかに効率的に作業を行うかと考えることはあっても，なかなか画期的な技術進歩には結び付きにくい。

第3に，同じく供給サイドの問題として，資本ストックの増加が，生産量の増加だけでなく，環境保全などの森林整備に活用されるため，資本ストックの増加がそのまま生産量の増加に結び付かないことが挙げられる。

3）全要素生産性のラチェット効果

（1－6）式の右辺第2項を見られたい。

$$(f_K \mathrm{d}\ln k + f_L \mathrm{d}\ln L)$$

はディビジア数量指数（の増加率）にあたる。もしこの変数がマイナスだとすると，第2項の前の符号はマイナスなので全体としてプラスになる。つまり投入量が減れば減るほど全要素生産性は高くなる。しかも係数の$1/\gamma$が大きければ大きいほど第2項のプラスは大きくなる。投入量が減るような経済状況にあっても規模の弾力性が大きければ，つまり規模に関して収穫逓増であるならば，全要素生産性は伸びる。このことを著者たちは全要素生産性のラチェット効果と呼ぶ。

図1-3でディビジア数量指数（伸び率）を示す。

図1-3　ディビジア数量指数（伸び率）

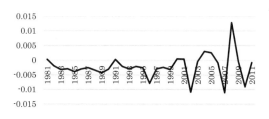

この値はほぼマイナスである。31年間で25年間マイナスである。労働投入量の減少が原因である。図1-2のように林業の全要素生産性の伸びはすべてプラスであるので，投入が落ちるとそれ以上に技術進歩力が伸びるという全要素生産性のラチェット効果が働いている。

4．日本の林業に関する効用の計算

　供給サイドの分析結果から，林業サイドに，産出を効率化させるモチベーションがわかなかったと解釈することもできる。そのように解釈できれば，需要側がそのインセンティブを供給側に送らなかったと考えることもできる。

　そこで，次に，需要側からこのように供給サイドに刺激がなかったのかどうかを確かめたい。

　国産材の生産性が低いと，価格が高止まりして外材との競争に勝てず，需要が落ち込んで，国産材への効用が低下する。これが生産側に刺激を与えない。本章ではこの構図を検証する。

4-1　生産性の低下

　資本の生産性と労働の生産性はデータから以下のように計算できる[6]。

　資本生産性は右下がりのことから生産性の低下が読み取れる。これが原因で，

（6）　産出額を資本ストック額，労働で割って計算した。

図 1 - 4　資本生産性・労働生産性

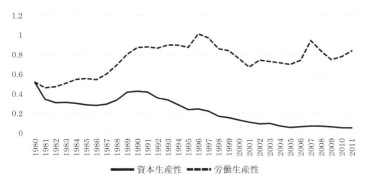

木材の価格が高止まり傾向にあるのであろう。ところが，労働生産性は上昇している。次第に技術を体化しているのであろう。

　木材については，外国産との質の差別化が難しく，有機栽培，無農薬など農産物のように差別化ができない。逆に外国産の木材のほうが，乾燥などの度合いから質がよいとも言われている。まさに安いほうがよいということになってしまう。これにより，需要の落ち込みが図 1 － 5 のように国産材の価格の高止まりが続くと考えられる。

図 1 - 5　木材価格

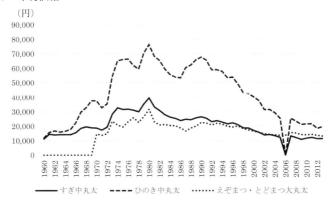

出所：木材需給報告書・素材価格累年統計より

4 - 2　林業に関するCES型効用関数の推計

　需要が落ち込むことで効用は低下する。効用が低下すれば，木材生産のイン
センティブが落ち，技術を取り入れようというモチベーションがわかない。こ
の悪循環とも言える仮説が成り立つ。実際に，日本の林業の基数的効用を計算
してみよう。

1）林業に関するCES型効用関数

　以下のCES型効用関数を用いて効用を計算する。

$$u = (\alpha_1 q_1^{-\beta} + \alpha_2 q_2^{-\beta})^{-\frac{\mu}{\beta}} \tag{1-8}$$

ここで，μ次同次の効用関数にした理由は，μ次同次にすることにより，正確
に心理の度合いを計算できるとする基数的効用を測定するためである。

　CES型効用関数は以下のように推定される。まずそのパラメータを推定する
ための需要関数が以下の式で与えられるとする。

$$\frac{p_2}{p_1} = a \left(\frac{q_2}{q_1} \right)^b \tag{1-9}$$

ここで，q_1は実質木材産出額（2010年価格），q_2は実質キノコ産出額（2010年価
格），p_1は木材デフレータ，p_2はきのこデフレータ（シイタケデフレータで代
用）とする。ここでは，1981〜2013年のデータを用いる。（1 - 9）式の対数を
取れば，以下のようになる。

$$\ln \frac{p_2}{p_1} = \ln a + b \ln \frac{q_2}{q_1} \tag{1-10}$$

この式を最小2乗法で推定した結果は以下のようになる。

$$\ln \frac{p_2}{p_1} = 0.0426 - 0.0578 \ln \frac{q_2}{q_1}$$

$$(2.3296)\ (-2.3307)$$

$$R^2 = 0.1491$$

よって， a ＝0.0426, b ＝－0.0578となり，（１－９）式のパラメータは次のように
なる[7]。

$\alpha_1＝1.0613$

$\alpha_2＝1.1076$

$\beta＝-0.9422$

２）効用関数の規模の弾力性の計測

　H.Theilのシステム－ワイド・アプローチは効用最大化問題の展開結果を微
分形の需要方程式で表したものである。規模の弾力性μを計測するのにこの理
論を使う。効用を正確に測れる基数的効用を計算するにはこの理論が役立つ。
微分形需要方程式の相対価格式は，以下で表される。

$$w_1 dlnq_1 = \theta_1 dlnQ + \phi\,\theta_{11} dln\frac{p_1}{p_F} + \phi\,\theta_{12} dln\frac{p_2}{p_F} \qquad (1-11)$$

ただし， $dlnp_F = \theta_1 dlnp_1 + \theta_2 dlnp_2$はフリッシュ価格指数であり， $dlnQ$はディ
ビジア数量指数， ϕは所得の伸縮性[8]。また次の記号w_iは要素シェア， θ_iは限
界シェアである（ i ＝ 1 ， 2 ）。 $Y=p_1q_1+p_2q_2$とすれば，

$w_i = p_iq_i / Y$

$\theta_i = \partial\,p_iq_i / \partial\,Y \qquad\qquad\qquad\qquad\qquad (1-12)$

実際の推定は，以下の絶対価格式で行う。これは相対価格式と同値である。

$$w_1 dlnq_1 = \theta_1 dlnQ + \pi_{11} dlnp_1 + \pi_{12} dlnp_2 \qquad (1-13)$$

π_{11}， π_{12}はスルツキー係数であり， $\pi_{11}=-\pi_{12}$という制約より上式は次式とな
る。

---

(7)　水野（1998）p.141の式を使って計算した。 $\alpha_1=1/(b+1)$， $\alpha_2=\alpha/(b+1)$， $\beta=-(b+1)$

(8)　ディビジア数量指数については水野勝之（1998）pp.36-37を参照。所得伸縮性については，水
　　野勝之（1998）p.151と同様， －0.5と置いた。

$$w_1 \mathrm{dlnq_1} = \theta_1 \mathrm{dlnQ} + \pi_{11}(\mathrm{dlnp_1} - \mathrm{dlnp_2}) \qquad (1-14)$$

dlnQはディビジア数量指数であり，以下の式で与えられる。

$$\mathrm{dlnQ} = w_1 \mathrm{dln}\,q_1 + w_2 \mathrm{dln}\,q_2 \qquad (1-15)$$

絶対価格式を最小2乗法で推定した結果は以下のようになる。かっこ内はt値。

$$w_1 \mathrm{dlnq_1} = 0.9446\,\mathrm{dln}\,Q + 0.1318(\mathrm{dlnp_1} - \mathrm{dlnp_2})$$

$$(69.0204) \qquad (6.9907)$$

$$R^2 = 0.9953$$

よって，$\theta_1 = 0.9446$，$\pi_{11} = 0.1318$となる。

表1-1　システム－ワイド・アプローチのパラメータの推定値[9]

$\theta_2 = 1 - \theta_1 = 0.0554$	
θ_{11}	0.6286
θ_{12}	0.316
θ_{21}	0.316
θ_{22}	-0.2606

それぞれのパラメータを計算すると表1-1のようになった。

　これより，CES型効用関数のμ次同次のμにあたる，規模の弾力性μが求まる。結果は以下のようになる[10]。

$$\mu = 1.2912$$

効用について，結果的に逓増（**1.2912次同次**）となった。

---

(9)　ここで推定に使うw_1，w_2についてはそれぞれ2期間の平均で計算する。

(10)　$\mu = (\beta + 1)\dfrac{\theta_{12}}{\theta_1 \theta_2} - \beta$

4－3　林業に関する基数的効用の計算

以上でCES型効用関数のパラメータが得られたので実際に基数的効用を計算すると，結果は図1－6のようになる。

図1-6　林業に関する基数的効用

基数的効用は，消費者の心理状態を数値化して表されている。効用の計算結果を見ると，木材の産出額・需要量の低下で効用が低下していることがわかる。外国産との差別化ができない，それどころか，外国産の木材のほうが流通も加工も上手といわれているので，国産材は質も劣っている恐れがある。価格競争で勝てない，質でも勝てない国内の木材への効用が如実に計算された結果となった。

これは，日本の国産材を使用する意味を消費者が見出していないことを意味する。効用の低下が，供給サイド面での技術進歩などのインセンティブを低下させているという負のスパイラル状態になっていることが伺われる[11]。

---

(11) 最近では円安が進み国産材のシェアが盛り返している。

5．国産材の評価と技術進歩の必要性

5－1　技術進歩の体化に関するアンケート調査

　実際に，効用を上昇させると技術進歩に影響を及ぼすのか，以下では，北海道地区の林業従事者，林業関係者合計42人に機縁法を用いて簡単な聞きとり調査を行った[12]。これを踏まえて，林業における産業の構造と解決策のひとつを図解して示す。

　表1－2は，「利用者側からの国産材への評価が上がれば，技術進歩を体化する努力はするか」という質問に関して，林業関係者に聞きとり調査をした結果である（2015年10－11月実施）。

表1-2　技術進歩の体化に関する聞きとり調査結果

	人数
努力をする	22
努力をしない	8
分からない	12
合計	42

　42人中22人が「努力をする」，8人が「努力をしない」，12人が「分からない」という結果を得た。

　「努力する」と答えた人は全体の52%と過半数であった。国産材の評価が上がることは，長期的には需要を伸ばすことに繋がると推測できる。林業事業体の過半数は，その市場の変化に敏感に反応し，「積極的に技術を体化する」と回答した。

　「努力をしない」と答えた人は全体の19%であった。しかし，これらのうちには「継続的に努力をしており，国産材への評価が上がったからと言って努力

---

(12)　機縁法では身近なものを調査対象とする。ここでは，筆者の一人土居拓務が，北海道全域の林業関係者にアンケートをとった。

量を変化させない。」と回答した人，「林業事業体は慎重に行動しており，国産材の評価の向上が一過性のものかどうかを慎重に判断する。そのため，簡単には体化しない。」と回答した人も含まれる。

　「分からない」と回答した人は全体の29％であった。この回答の背景には，近年，林業業界を取り巻く複雑な事情から「一概には言えない」と答えざるを得なかったようだ。

　以上の聞き取り調査から，実に過半数の林業事業体が技術進歩を体化するという結果が得られた。林業事業体が技術進歩を体化しない理由には，現状の国産材に対する評価の問題があったといえよう。仮に現状の評価のまま生産量を伸ばしたとして，その需要先を見込むことができない。そのため，林業業者も技術進歩を体化する努力を差し控えてしまっていた。

5－2　効用を高める必要性の理論的根拠

　次に，これを理論的に裏付け，処方を示す。図1-7を見られたい。第1象限は，キノコを一定としたときの，国産材の基数的効用とその数量の関係であり，効用関数は逓増（1.2912同次）の効用関数である。第4象限は，資本を一定にしたときの，国産材生産額と労働量を表した，規模に関して収穫逓増の生産関数である。ただし，生産関数Ｙ1においての右方の点線部分は，理論的には可能だが，日本の実態から生産不可能なことを示している。第1に，労働力があったとしても日本の山の急斜面が多い形状から生産が難しいという理由，第2に，後継者不足から専門性を持った労働者が育成されていないという理由によって，生産が不可能な部分である。

　現状は，生産関数Ｙ1において，労働量Ｌ$_1$と基数的効用ｕ$_1$が実現しているとしよう。基数的効用が変わっても，それに対応して生産関数Ｙ1上を行ったり来たりするだけである。そして，点線部分では生産が止まってしまう。

　今回の提案は，その技術進歩を体化しない状態から，技術進歩を体化させて生産関数をＹ2のように上にシフト（図中では右方）させることである。これは調査結果から可能だと判断できる。第1象限において，利用者側の国産材へ

22

の評価が上がったことにより基数的効用が u_1 から u_2 に上昇したとしよう。そのことによって，国産材数量が Y_1^* から Y_2^* に増加する。すると，従来の生産関数では，点線部分にはいり，その数量を達成できない。しかし，アンケートにあるように，国産材の評価が上がれば林業業界は技術進歩を体化する努力をし，生産関数を $Y2$ にシフトさせる。そして，この生産量が達成できる。

図1-7　効用関数と生産関数

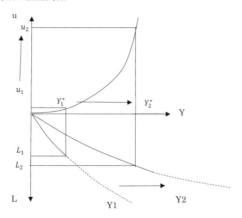

6．総括

本章では，日本の林業において，今これだけ進歩している技術進歩が体化されず，外国との価格競争に巻き込まれて疲弊していることを示した。しかし，その体化こそが外国との価格競争にも勝ちうる有力な手段である以上，その体化の実現のために何が必要かを，理論的根拠に基づき，実態調査を伴って明らかにした。つまり，そこに必要なのは，利用者側からの評価の向上である。

林業を活性化させるためには，政府も林業関係者も国産材のメリットを宣伝する必要があろう。第1に，先祖の心がこもっていること，第2に成木になるまでの間手入れが行き届き木目・節のバランスなどのデザイン性にも優れていることなどを利用者側に伝える必要があるであろう。国産材は，他の財と異な

研究書解説冊子

『林業の計量経済分析』水野勝之，土居拓務，安藤詩緒，井草剛，
竹田英司　五絃舎，pp.1-123（2019年11月25日）

作成者　水野勝之　井草剛　土居拓務　本田知之　中村賢軌

五絃舎発行

（2021年11月 1 日）

はじめに

　研究書を手に取ってみても，一般の人には理解しがたい。表題にある『林業の計量経済分析』も林業の分析とはいえ，計量経済学的手法で分析を行っているため，せっかく林業の分析に関心がある人でも，計量経済学の手法が分かりにくく，内容が理解しがたい。林業の専門家，林業に関心のある一般の方にこそ読んでほしい本であるにもかかわらず，残念である。

　そこで，計量経済学の点にはできるだけ触れず，林業の視点でのエッセンスを抜き出して体系的に理解しやすくする必要性に気づいた。本解説書は，その趣旨に沿って一般の人も内容が理解できるように，『林業の計量経済分析』をやさしく解説したエッセーである。本書のほうにはデータ，計算結果も載っているのでそれらと照らし合わせながら見るとより関心がわくであろう。

　なお，本書については次の書評を書いていただいていることも付記しておこう。

　書評：立花敏「林業経済」林業経済研究所，2020年73巻8号 p.19-23

　役割分担として，主に第1章から第6章までを水野，第7章と第8章を中村が執筆し，井草，土居，本田が文章を修正加筆するとともに総点検を行った。本解説書が読者の皆さんに役立つことを願っている。

　令和3年6月

著者代表　水野勝之

第1章　林業の全要素生産性と効用の関係についての研究
－中間取引を考慮しないケース－

はじめに

　この章は林業の技術進歩率を問題にした。本章で計測した結果，林業の技術進歩率はあまり高くないことがわかった。その要因は，林業者の高齢化が進み，林業者（林業従事者など）に技術進歩が体化（＝最新機器を操作できるようになること）されていないことが一つの理由だと考えられる。そこで，どうしたら技術進歩を体化できるのかについて林業者にアンケート調査を行った。結果として，国民に林業が高く評価されれば，林業者のモチベーションが上がり，技術進歩が体化され，林業の生産量が増えるという構図があることがわかった。それを経済理論化し，実証したのが本章である。

問題の設定

　林業の何を問題としたいのか。

　第1に，日本の林業には技術進歩があったのか否かということである。林業の舞台となる日本の山は場所によっては急峻である。そこで木を伐って枝を落として運んでくる作業は重労働であり，かつ高い技能が必要となる。また安全確保の努力も欠かせない。このように高度な技能を必要とし，危険性も伴う状態だったら，誰もが敬遠してしまう。人材が集まらなければ林業が廃れてしまう危険がある。林業が廃れると森林が荒廃し，環境保全にも悪影響を及ぼす。したがって，林業こそ，労働の安全性・生産性を高めるべく，技術の進歩を取り入れる必要がある。昭和50年代から日本においても運転席に座りながら呼ばれる枝を切り落し，適当な長さに木を伐り揃えるハーベスターなどの高性能林業機械の導入が進んでおり，昭和60年代に日本にわずか数台だった高性能林業機械の保有台数は令和元年には10,218台にも伸びており，これは林業従事者の約4.5人に1人は高性能林業機械が行き届いている計算となり，今では間伐時・主伐時に高性能林業機械の一団を目にすることは今では林業現場では当たりまえの光景となった。筆者がインタビューをした若い林業者は「それを見てかっこいいから」という動機で林業に就いたという。つまり，林業での技術進歩は新たな人材確保にもつながる可能性がある。このように間伐・主伐時における機械化が大きく進んだ林業であるが，産業全体として技術進歩が進んでいるかどうかはわからなかった。本章で林業の技術進歩の現状を明らかにしたい。

　第2に，林業は投資（植林）から資金回収（収穫）まで50～100年程度かかる他の例のない産業であり，投資時に消費者ニーズを反映させることが非常に難しい産業である。さ

4

らに，その生産作業が人目に付きにくい山の中で行われていることに加え，プロダクトである木材は加工流通経路が非常に複雑であるために，消費者側から見ても生産現場が非常に見えにくい産業となっている。このように，消費者との相互的な関係が非常に希薄な産業であることから，他の産業のようにユーザーの声によりモチベーションをあげることが非常に難しい状況にある。こういった環境は，技術進歩（新たな技術の導入等）のモチベーションにも影響するものである。新たな技術を林業界が導入して林業者が使いこなすことを，ここでは林業での技術進歩の「体化」と呼ぶ。この体化を進めるためにいかなる方策を打つべきか考察したい。

解決の方法案

　本稿では次のような方法をとって上記の問題点の解決を探った。

　問題1の解決として，日本の林業の技術進歩率を測定する必要がある。筆者たちは，現実の経済状況に沿った技術進歩率の計測の方法を開発してきた(注)。その計測方法を使って林業の技術進歩率を計測する。

　第2の解決は，直接林業者に新たな技術の導入を進めるモチベーションをあげる要因を聞いてみることである。実際に林業者に対して，どのようなケースでモチベーションが上がるかを調査する。前述の通り，林業界は消費者（国民）との距離が非常に遠い産業である。国民に林業の情報をしっかり伝えるとともに，国民の評価を林業サイドにも届けることで林業者のやる気向上にもつながる。林業は，衣食住の「住」を支える国民に無くてはならない産業である上に，地域の経済・森林環境を守る尊い職業である。林業を国民が尊重することにより，林業者が技術進歩を体化するよう方向づけるべきである。

分析結果

　では分析結果を簡単に話そう。

　第1の林業の技術進歩率を計測した。日本林業の技術進歩を全要素生産性伸び率の計測という方法で測った。全要素生産性は，生産量の伸びに対して，資本の伸びと労働の伸びを除いた技術進歩などの要因がどれだけ寄与したかを表した指標である。計算の結果，林業では生産の向上へ経済外的要因の技術進歩などがほとんど働いていないことが確認された。ハーベスターなどの高性能林業機械が大幅に導入され技術進歩が進んでいるかにみえるが，林業の作業コストの大半は造林，下刈り，除伐などの収益を生まない作業によるも

（注）筆者たちが開発した技術進歩率計測理論（一般化残差理論）以前の計測方法，そして現在もそちらが主流となっている計測方法は，産業の利益がゼロという前提を置いている。その前提は現実的ではないとして，産業の利益がプラスの時もマイナスの時も技術進歩率を計測できる理論を開発した。

のが占めている一方，導入が進んでいる高性能林業機械が対象にしているのは収益を生む収穫（主伐，間伐）だけとなっている。一方で，収益を生まない作業の多くは依然人力で行われており，旧態依然としているのが現状である。このように，技術進歩の進捗が進んだ範囲が非常に限定的であることから，産業全体としては技術進歩率が低くなっているのであろう。また，実際には導入された機械を効率的に稼働できていないなど，技術が十分に体化されていない可能性も考えられる。

　第2の問題に関しては，林業者のやる気をどのように高めるかを考え出すことであった。消費者側と生産者側の両者の気持ちを数値化した。「消費者の満足度を高めれば，林業者のやる気が高まる」という構図を仮定した。まず消費者の林業に対する意識について，国民の林業に対する心の満足度を計算した。生産性の相対的な低下から国産材価格の長期的下落が続くなど，需要が減少したことで，国民の林業に対する満足度が低くなり，林業への信頼が薄れ，需要面での支持が得られていないことを明らかにした。次に，生産者側については，林業者へのアンケート調査結果の分析で，国産材に対する評価が上がれば林業者が技術進歩を体化する準備があることを明らかにした。結果として，国民の（国産材に対する）満足度が低下し，国内の林業への魅力が失われていること，そのことが林業者のモチベーションを低くしていること，そして国民の林業への評価が高まれば新しい技術を習得する気持ちがあることがわかった。

結び

　以上から，本章では，日本の林業の発展には，国産材への評価を高めることが先に必要であることを説く。国や生産側が国産材の良さを需要側へ発することが必要であり，それによる国産材への評価の高まりが，生産者へ技術進歩を促す（体化する）インセンティブを与える。このフィードバック体制の構築を提唱する。現在，国産材の使用を政府が推奨しているが，なぜ外国産の木材（外材）よりも国産材を優先すべきなのか，説明できていない。本章は，それについて国産材は先祖代々の心がこもっていることだと主張したい。木を育てるには時間がかかる，手間暇がかかる。先祖代々が手塩にかけて育てきた日本の木材を活用することは日本の木の文化を引き継いで伝承することに他ならない。このことを国民に説明して「国民の効用の高まり→技術進歩→林業の生産量増加」の構図を創ってもらいたい。消費者が林業の評価を高めれば林業に技術進歩が起き，生産量が増えるというメカニズムである。最初の消費者の評価を高めるのは，林業者が自らこそが行うべき重要な役割であるが，それを政府が教育などで支援することも非常に重要である。

第2章　林業の閉鎖性の打破に関する一考察
－中間取引を考慮したケース－

背景

　日本の林業が世界の林業を引っ張っていると思う人はほとんどいないであろう。新しい国立競技場も国産材を多用したが，逆に日本の林業が困っているからそうしたと思う人も少なくないのではないだろうか。かえって日本林業の虚弱さ，貧弱さが伝わってくる。

　日本の林業の振興が進まない理由を探ったのが第2章である。林業には様々な点での課題があるが，本章では林業の取引状況に焦点を当てた。林業の取引状態の特性が林業の成長を抑えている一つの要因でないかと考えた。

問題設定

　どの企業も他企業と多くの取引をする。一つの企業で何から何まで行うのではなく，技術進歩とともに分業の体制が確立され，他企業との取引を活発化させている。他企業と取引する場合，自産業内の取引以外に，他の業種の企業と行う異業種間取引がある。本章では，はたして林業は他業種と活発な取引をしているかどうかを問題とする。少なすぎないか，多すぎないか，または適正なのかを明らかにしたい。その結果によって，今後林業をどのような方向に進めていくべきかがわかる。

調べる方法

　産業連関表という統計を使った。産業と産業とがどれだけ取引を行っているかのデータを示したものである。A産業からB産業がどれだけ購入しているか（AとBが様々な産業に入れ替わる）を表した統計表である。

　今述べた産業連関表の値は実際に取引された値である。経済学の理論は，産業が利潤を最大化することを前提に展開されている。経済理論で計算した値は産業の利潤を最大にできる値である。林業について産業連関表の実際の値と本書で計算した利潤最大をもたらす値を比べてみれば，乖離していたら林業の生産には無駄が多い，乖離していなかったら林業は既に目いっぱいの利潤を稼いでいるということになる。

経済学的工夫

　したがって，経済理論によって利潤を最大にする最適取引値を定義し計算できるようにできればよいわけである。その値を導く方法を開発した。そして，その値を実際の値と比

べて，産業の効率性を測る指標とした。

産業の効率性を測る指標＝最大の利潤をもたらす取引割合−実際の取引割合

本章において数式で展開されている部分は，「最大利潤をもたらす取引の割合」の計算方法を編み出した解説である。

計算結果

産業の分類については，林業と「その他の産業」とした[注]。1995年—2011年の期間のデータを使って計算した。「最大の利潤をもたらす取引割合−実際の取引割合」の計算結果が次のとおりである。プラスは取引が大きすぎ，マイナスは取引が少なすぎを意味する。各乖離の平均を計算してみよう。

林業同士の取引の最適と実際の割合の乖離：プラス　　　　　→大きすぎ
林業から他産業への販売の最適と実際の割合の乖離：0に近い　→ほぼ最適
他産業から林業への販売の最適と実際の割合の乖離：マイナス　→小さすぎ
他産業同士の取引の最適と実際の割合の乖離：0に近い　　　　→ほぼ最適

この結果から言えることは次のことである。第1に，林業同士の取引が多すぎること，つまり林業の利潤を損なっていることである。第2に，他産業から林業への仕入れが少なすぎること，つまり，林業と他産業の利潤を損なっていることである。この現象を，筆者たちは「林業の閉鎖性」と呼んだ。

改善案（＝林業の閉鎖性の打破）

改善案として，第1に林業同士の取引を少なくすること，他産業から林業への仕入れ取引を多くすることが言えよう。閉鎖的な林業を開放的にすることで，林業も「その他産業」も利潤を増やすことができる。

具体的改善案

林業同士の取引が大きすぎる。また，他産業からの林業の購入が少ないならばどこの産業から購入すべきなのか，この他いずれの産業との取り引きを増やすべきかについて，本章では建設業とNPO法人との取引の拡大を提案した。建設業は林業と技術が共通する部

（注）筆者が産業連関表，延長表を作って独自にデータを加工した。

分が多い。木を生業にしている事実も共通している。森林関係のNPO法人も植林，間伐などで林業の技術をすでに持っている。ここでは，取引にとどまらず，林業への地方建設業の新規参入案に加えて，NPO法人などの森林関連ソーシャルビジネスとの積極的取引推進案を提示した。まったく異なる業種とのかかわりを増やすよりも，関わりやすい業種との取引や関係を深めていくのが良いであろう。

結び

　この章では，日本の林業が他の産業とどのような関係にあるのかについて，経済学の利潤最大化が行われているか否かという基準に照らして明らかにした。その結果，他産業との取引関係においては利潤最大化には遠かった。林業にはまだまだ利益を増やす余地があるにもかかわらずそれがなされていなかった。その原因の一つとして林業が閉鎖的であることがあげられた。つまり，この基準においては林業同士内での取引が多すぎ，そして他産業との取引は少なすぎた。本章はこの閉鎖性の打破をテーマとした。閉鎖性を打破し，他産業との取引を活発化させるだけでなく，林業には多くの他分野からの人材の流入も期待したい。この点については，政府（林野庁）も令和元年度よりオープンイノベーション型の事業共創プログラムSustainable Forest Actionを展開しており，これまでになかった業界との林業の協業の取組も生まれており，これが一定の成果を生み出すことを期待する。そして，ゆくゆくは政府の介入がなくとも，林業界自身が自発的に他産業との協業を増やし，それによる技術進歩が進むエコシステムが形成されることを祈りたい。

　他の章でも述べているが，今後の日本全体の環境を保全していくためには森林管理と産業が両立する林業の活性化こそ重要である。

第3章　日本林業の縮小均衡の打破に関する研究

背景

　前章のテーマが「林業の閉鎖性」，そして本章のテーマが「林業の縮小」。わかったようでわかりにくい。この違いは何か。筆者の定義を説明すると，まず前者は他の産業との交流が利潤最大をもたらす水準よりも低かったということである。次に，今回テーマにする後者は，第1に林業が利潤最大をもたらす生産量に足りていないのかどうか，第2に林業が国民経済に好影響を与える関係になっているかどうかを判定することである。日本で林業が栄えないのは，利潤が増える余地があるにもかかわらず，甘んじてそれを低くするような行動をとって安心しきっている（＝縮小均衡1）からかもしれない。国民経済とはもっ

とお互いに影響を与え合えるかもしれないのにそれをしていない（＝縮小均衡２）からかもしれない。この点を明らかにし，もし縮小均衡であったならば，解決案を提示しなければならない。そのような使命感がこの章にはある。

問題設定

筆者の定義した縮小均衡は上記のように二つある。それぞれに応じた問題設定を行う。

第1に，上記「縮小均衡1」で，林業が利潤最大になるような生産を行っているかを判定したい。現在の生産量で利潤が最大化しているのか。または生産量をもっと引き上げたほうが利潤は増えるのか，逆に引き下げたほうが利潤は増えるのか。これを明らかにしたい。

第2に，「縮小均衡2」で，林業だけを見るのではなく，国民経済との関係が良好かどうかという視点に立つ。林業が国民経済に好影響を与えているのか，国民経済が林業に好影響を与えているのか。この両方の点は大変気になるところである。もしかしたら林業がいくら頑張っても国民経済に影響はないのかもしれない。もしかしたら国民経済が活況なのに林業は不況であるかもしれない。林業は国民経済から独立して，わが道を行っているのかどうか，その判定を行う必要がある。もし相互関係がないとしたら，林業は小さくまとまって満足していることになる。これは国民経済との相互影響の点での縮小均衡とみなす。この現象にあるか否かを明らかにしたい。

解決方法

上記の問題に対しての判定のために次の計算を行う。

第1に関しては，林業の利潤最大となる生産量を計算し，実際の生産量と比較する。前者が後者よりも小さければ，より多く生産したほうが，利潤は大きくなるということになる。前者が後者よりも大きければ，余計な費用をかけて過剰生産をしているので生産量を抑えたほうが利潤は大きくなる。

第2に関しては，これについて判定するための指標を用いる。林業から国民経済にどれだけ影響を与えている状態を知る指標，反対に国民経済が林業にどれだけ影響を与えているかの指標がある。この両方の指標を計算して，その判定基準に沿って評価すれば，国民経済と林業との相互の影響関係がわかる。

計算結果

まず第1の生産量の適正の問題についての計算結果について述べる。「林業の最適生産額―林業の実際の生産額」を計算した。意外なことに，ほぼゼロを下回っている値であった。つまり，ほとんどの期間，過剰生産が発生しているということになった。通常経済学

では，利潤最大化を善とする。しかし，ここでの利潤最大化という条件は，生産の縮小を促した。つまり，本章の計算結果からもあるように生産過剰が多々あり，生産を縮小させなければならなくなることを示した。だが，国産材の自給率が4割程度しかないことや，森林蓄積に対する伐採量が小さいことを考えると，木材資源確保の安全補償，地域資源の有効活用の観点からは生産を増やした方が好ましいという指摘もある。特に，2020年のパンデミック以降ウッドショックと呼ばれる木材不足が発生しており，国産材生産の強化を求める声が強まっている。現状では，日本の林業は，利益最大化と資源の安全保障政策が両立しない，不安定な構造にあるといわざるを得ない。

　第2の林業と国民経済の相互の影響度についての計算結果について述べる。その数字は衝撃的な値であった。その計算結果は，林業が最適生産を行うためには，より一層，第2章で定義するところの閉鎖性を促進すべきだということを示唆した。林業は，利潤最大化の最適点を達成することは，縮小均衡しなければならなかった。現在は生産過剰状態もこのことを物語っている。これも，日本林業が，国民経済や資源の安全保障政策の方向性とは無関係な独立した産業構造となっていたことを表している

問題解決のための提案

　ここでの計算結果からの事実は林業の最適値（最大利潤をもたらす値）を計算しての示唆であった。経済学でいう最適値はあくまでその産業の利潤最大化のための目安に過ぎず，現状で最も費用がかからない手段というだけの話であり，逆に現状でのその達成が将来の林業にとって必ずしも望ましいわけではない。筆者は林業が縮小均衡を目指すことを否定したい。ここで具体的な提案を行いたい。

1）他産業の需要が林業の生産を引き上げるケース

　第1に，電力業界の需要が林業の生産を引き上げる可能性がある。日本では，2016年4月より電力自由化が始まった。化石燃料や原子力での発電を行う会社の選択を回避し，バイオマス発電などの自然エネルギーの発電を選択する風潮が強くなってきた。バイオマス発電を日本政府は強力に促進し始めた。建築用材として活用できない細い間伐や根，枝などは林地に放置されている。このような林地残材は木質バイオマスエネルギーの燃料となりうる。再生可能エネルギー需要の増加が，林業生産に好影響を及ぼすことになろう。間伐促進による間伐材の供給増加で，電力エネルギーの自給率向上にも繋がる。

　第2に，政府需要が林業生産を引き上げる可能性がある，日本では，2010年「公共建築物等における木材の利用の促進に関する法律」により，公共建築物について，一定の基準を満たすものは木造化を検討する努力義務規定ができた。それによって，地方の公共施設が木造で建築される例が増えてきている。つまり，国産材（内材）の需要が増えることとなった。政府の最終需要増は林業への直接的な効果と波及効果をもたらす。2010年度に着

工された公共建築物の木造率は8.3％だったのに対して，2019年度の数字は13.8％までに上昇している。技術的に木造化が難しい公共建築物が少なくなく，数字上は低いままであるが，政府自ら木材を率先して使うという姿勢は，非住宅の中・大型建築物で木材を使える建築士・技術者の育成の促進にも資するものである。住宅需要の縮小が見込まれる日本においては，木材需要の確保という観点から非住宅市場の開拓は非常に重要である。

　第3に，観光・レクリエーション業が林業の生産を引き上げる可能性がある。林業の持つ外部効果を経済の循環に取り入れることも有力な手段である。コロナ禍以前多くの外国観光客を受け入れ，観光・レクリエーション業が充実してきた。観光は当初の都会中心から地方にその舞台が広がった。景観を維持するには，さらなる森林整備が必要になる。森林整備による景観の向上は，さらなる観光客を呼び込むという好循環を生むであろう。観光業の最終需要の増加が，林業の産出を増やす構造変化を引き起こす可能性がある。

2）林業需要が他産業を引き上げるケース

　林業の国内最終需要については民間消費支出と在庫増，国外需要については輸出があげられる。特に在庫純増と輸出に注目する。

　意外であるが，在庫純増（在庫投資）の統計に立木の成長分も含まれている。森林の木の成長した部分の大きさを金銭換算したものである。ということは，数字の上では，立木の成長に手をかけることが（高くする，太くする），（経済の波及構造を通じて）他産業への波及を大きくすることにつながる。森林の育成のために手をかければかけるほど，日本の産業の中で林業の立ち位置の重要性を増させる。

輸出では，日本の製品の良さをアピールして，需要を増やす努力をする必要がある。国産材の輸出が増えれば，運輸や商社など輸出関連産業への波及も増えるであろう。

結び

　これらの具体的な方法に加えて，第1章において林業の技術進歩の必要性を論じた。第2章，本章で論じたように，林業はより一層の他産業との交流が不可欠となる。技術進歩の取入れなどが，林業の閉鎖性を打破し，縮小均衡でなく拡大均衡に至るための重要な一解決策ともいえよう。

第4章　林業の産業間の取引効率化指標による分析
－中間取引を考慮したケース－

背景と問題設定

　本章は，基本的には第2章と第3章の流れをくむ。これまで林業の産業間の取引の分析

を行ってきた。だが，区分けが，「林業」と「その他の産業」という区分であった。他の産業との交流の活発化を提唱し，概念的に建設業やNPO法人と取引を増やしたほうが良いとは述べたものの，データの根拠はなかった。ここでは，「その他の産業」部分をより細分化する。林業以外については，農業・漁業，第2次産業（鉱工業・建設業），第3次産業（含分類不明）という区分を行った。林業とこの3産業との取引の具合を分析し，どの産業との取引を増やし，どの産業との取引を減らすかを，概念的ではなく，確かな数字をもって証明する。

すべきこと

まず上記のように，第2章，前章に比較して産業部門数を2から4に増やして分析する（第2章，前章との第1の相違）。それらの産業間の最適取引量を計算し，それが実際の取引量とどれだけ違うかを計算する手法をとる。その差の割合を，産業の中間取引の効率性の測定指標と定義し，林業と他の3産業の間のそれらを計算した。第2章は差の問題であり，ここでは割合とする（第2章，前章との第2の相違）。

それを産業間の取引効率性測定比率指標と定義した。最適値であれば0となる。0より大きければ，利潤最大化をもたらすには中間取引が多すぎ，0より小さければ小さすぎるという指標になる。0から離れれば離れるほど，中間取引の効率性が阻害されている。

計算結果

1990年，1995年，2000年，2005年，2011年の各産業連関表と，その間の延長表を活用し1990年から2012年までのデータで計算した。

「農業・漁業→林業」については，現実値と最適値の差がすべてマイナスである。これは，もう少し農業・漁業と林業とがかかわりを濃くしたほうが林業の利潤を高められることを意味する。農業・漁業と林業は，川の水を介してつながっている。

かつて，えりも砂漠と呼ばれていた北海道の襟裳岬を森林化する多大な努力を行ったことで，飛砂の防止による農業への貢献や海洋への栄養成分供給による漁業に好影響があったことなどをはじめ，森林の健全化は農業，漁業にも大きな影響を与える。

今後，林業の利潤を大きくするのは重要であるが，農林水産業の発展につながるという両立の策を講じる必要がある。

「林業→林業」については，当初大きなプラスであり次第にゼロに近づいた。といっても唯一プラスである。林業からの仕入れを少なくしたほうが，林業の利潤が大きくなる。林業での委託は，同じ林業者に頼む傾向がある。機械設備やノウハウがそろっているからである。林業同士の付き合いが，林業の利潤を減らし，林業の発展の妨げになっていることがわかった。林業同士の強い結びつきについては再考が必要であろう。

「第2次産業→林業」については，プラスからマイナスに転じている。2000年までは，林業の利潤最大化にとって，第2次産業と取引のしすぎになっていた。しかし，それ以降は，マイナスになることが多い。利潤を高めるためには第2次産業とより多くの取引をしなければならないことが示唆されている。技術進歩に伴い，ロボットやIoT技術などの第2次産業で生まれている最新の技術を林業も取り入れるべきという示唆であろう。

同じく，「第3次産業→林業」については，この差が2001年以降マイナスになっている。林業の利潤にとって，第3次産業との取引の少なさが一つの要因になっている。例えば，森林を使ったアクティビティを提供するなど観光産業を連携したり，業務効率化のソフトウェアを導入するなどが利潤をあげるひとつの手段であろう。

結び

産業間の最適取引と実際の取引の差異の割合を新たな中間取引の効率性測定指標として提案した。その数値によって，林業と第1次産業，第2次産業，第3次産業のそれぞれとの取引関係を示すことができ，第2章，第3章と同様，林業の閉鎖性を明らかにすることができた。4部門に分けたモデルを使うメリットは，どの部門との取引を増やせばよいかをより細かく明示できることであった。本章では，どことの取引が少ないか，それをどうするべきかまで明示できた。総じていえば，近年において林業が利潤を高めるためには，林業以外の他産業とのつながりが足りないということになる。具体的には，林業が利潤をもっと増やすためには，農業・漁業，第2次産業，第3次産業との取引が少ないということが言えた。

第5章　日本の樹種のマーケティング分析
－木材の多目的化の必要性－

背景

日本の木材は輸入する外材に負けてしまっていると言われる。外材は品質や供給が安定しているからである。かといって，これまで見てきたとおり，日本から林業を失わせるわけにはいかない。国内林業の必要性は，木材供給だけに限らず，環境改善により公益的機能と呼ばれる外部経済を発生させることにもある。

そのような重要産業にも関わらず，日本林業が成長産業であるという話は聞かない。建築用材を中心とした木材需要に頼る林業の現状では，性能面や供給体制面で勝る外材や他の素材に負けてしまう。この章では，国産材だけが持ち得る，新たな需要可能性を模索し，開拓する努力を促したい。

14

問題設定

　スギ，ヒノキ，マツから成る木材市場といっても，専門家ならともかく，一般の読者にその実態はわからない。木材市場を分析する場合，（1）その市場ではこの3つの木がバランスよく取引なされているのか，それともいずれかの木が寡占や独占状態にあるのか，（2）木材需要が嗜好品化しているのか，必需品化しているのかを知りたい。これが分かれば，（1）に従って，使われていない木の活用を進める（＝森林を保全する），（2）についてその性質を生かしての他の活用法を探ることができる。まとめると，使われていない木の新しい需要を掘り起こしていきたいということである。

方針

　本章の分析の結果，木材需要は必需品化されているということが分かった。必需品のままでは需要が伸びない。そこで，国産木材を奢侈品化させての需要を創り出したい。特に，シェアが落ちていることの分かったマツに注目し，新しい需要を掘り起こす製品開発について紹介する。需要を創り出す努力を示すことにより，木材の新たな需要創造の可能性が高いことを示したい。

分析結果

1）主要3樹種の市場変化

　ハーフィンダール・ハーシュマン・インデックスのHは市場の集中度を測る指標である。特定のブランドに集中してしまっている市場か，そうではないかがこの指標によって判明する。この値が大きければ大きいほど，市場の集中度が大きいということになる。1976年から2013年までのH（スギ，ヒノキ，マツ）を計算した。

　　図　ハーフィンダールのH

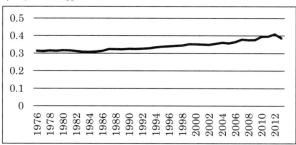

　1976年時には，Hは0.3に近かったが，2012年には0.4を超えている。Hが上昇しているので，集中化，つまり，樹種における寡占化が徐々に進んでいってしまったことになる。

次表で各樹種のシェアの変化を見ると，40年前と比べて，スギが15%増えているのに対して，ヒノキがその分を減らしている。マツのシェアはほぼ横ばいである。

シェアの変化

	スギ	ヒノキ	マツ
1976	0.4019	0.3283	0.2159
2013	0.5562	0.1946	0.1980

現在，木材のメインはスギに限定されている結果となっており，他の樹種をその他の目的に使用する目処はほとんど立っていない。

2）必需品に分類される木材

　木材市場が必需品化されているのか奢侈品化されているのかについて調べる。木材に全体について筆者が使った指標（質の指数）について次のことが成り立つ。

　　プラス　嗜好品が増える

　　マイナス　庶民的な品が増える＝嗜好品が減る

　日本の木材について奢侈品化が進んでいるか，木材の質の指数の符号によって必需品化が進んでいるかを調べることができる。

　この間の指標の平均値は－0.0010と，マイナスになっていた。つまり，国産材の用途は必需品に限定されており，利用範囲に幅が狭い傾向があることが分かった。

分析結果から分かった問題点の解決法

　この分析結果から分かった問題点に関してどのような解決方法を考えたらよいであろうか。まず１）に関しては，スギに比べて，ヒノキやマツのシェアが減少傾向にあるため，これらの資源を活用するための用途拡大努力を行うことである。次に，２）に関しては，これまでの木材の必需品としての用途だけでなく，奢侈品としても活用されるよう，用途を拡大する方法を考えることである。木材の必需品の使い方が８割である現状では，木材の必需品以外の用途を積極的に開拓する必要があろう。今後，嗜好品としての消費価値が生まれれば，国産材は滞りなく消費されていくことになる。

結び

　日本の木材は，前記のように用途が建築用材などを主とした必需品に限られていたため，性能面で勝る外材に対して優位に立つことができず，日本の林業そのものを伸び悩ませる結果になっていた。

　現在，樹木には殺菌，抗菌，殺ダニ，抗ダニ，抗カビ，抗酸化などの数えきれないほど

の効能が確認されている。人体に影響する具体的な効果としては，鉄筋コンクリートの校舎と比較して木造校舎の方がインフルエンザによる休校率が低いという結果や，樹木が人にリラックス効果を与えるという報告もある。これらは木の中にある香気成分が作用していると考えられている。例えば，この樹木成分を蒸留して取り出したものが精油であり，健康増進としてアロマオイルとして活用されはじめている。アロマオイルは一部の人たちに愛好されており，紛れもなく嗜好品にあたる。

　精油材料になるのは製材になるまでの過程で切り捨てられた枝葉やおが屑である。枝葉やおが屑のような値段の付かない木材から生み出された製品こそ付加価値が高いことがわかった。

　木材を「健康増進資源」と視点を変えて見ることで，新たな需要の可能性が大きく広がるのではないであろうか。林業を成長産業化させるにあたり新たな木材需要の創造は不可欠であり，だからこそ，より一層，社会が抱える課題と結び付けて需要を開拓することが重要になってくるであろう。

第6章　アカエゾマツ新商品に関する新しい　　文理融合型マーケティング実験研究

問題設定

　あなたが中小企業の経営者だとしよう。仮にマーケティングの実力はないが新製品を開発した。さて，価格をいくらに設定するか。費用に照らして価格を設定しても売れないかもしれない。最初は赤字覚悟で売り出して世の中に浸透させていかなければならない。消費者の気持ちがわからない。こういう時の生産数量はどうすればよいのか。生産数量を間違えれば，「新製品開発＝倒産」という憂き目にあうリスクがある。消費者の求めに応じた提供数量決定モデルを作ることが本章における研究である。

解決策

　ミクロ経済学の基礎理論は消費者の気持ちと予算，価格から，彼らの買いたい数量が分かるという仕組みである。この仕組みを活用して，消費者が買ってくれる数量を決定することができるのではないかと考えた。そこで，本研究では生産者が安心できる生産数量決定の新たなモデルを構築した。経済モデルそのものは，無差別曲線と予算線が接する点で消費量（本モデルでは供給量）が決定するという，大学1年生で学習するような基本的な内容をベースにしている。ただし，消費者の実際の測定については非常に難関であることが指摘されている。したがって，応用されている例はほとんど見ない。

　本研究では，モニターの大学生や大学関係者を対象に新商品購入に対しての気持ちを調査した。新商品を2財用意し，いかなる価格だったらどれほど購入するのかの実験を行った。

実験

　アカエゾマツは経済社会での活用が少ない。近年この木の有用性が注目され，その成分を分析するとともにその効能などの研究がおこなわれている。その結果，ストレスを減少させる成分が含まれていることが分かった。実際，アカエゾマツに関してアカエゾマツジュース，アカエゾマツローション等の新しい商品が開発されている。

　具体的には，アカエゾマツジュース，アカエゾマツローションの消費実験で，消費前と消費後の人唾液中コルチゾール濃度の変化を測り，ストレス解消度を効用とみなして測定した。ストレスの指標とされているコルチゾール濃度はストレスが大きい時に高い値となり，ストレスが少ない時に低い値となる。その効用を最大にする（ストレスを最小にする）組み合わせを見つけ出す。

　新商品のアカエゾマツジュース，アカエゾマツローションの2財について，文理融合実験を行う。被験者は28名である。2017年1月14日に酪農学園大学に集まっていただき，実験に協力していただいた。

手順1

　一人300円の予算を使い切ってもらう前提で，28人を3グループに分けた。ケース1（9名）では，ジュース100円／杯，ローション50円／塗り，ケース2（11名）ではジュース50円／杯，ローション100円／塗り，ケース3（8名）では，ジュース100円／杯，ローション100円／塗りとした。各自300円の予算で組み合わせを決める。（経済学の実験のため300円をすべて使い切るものとする。）

手順2

　被験者がこれらの財を購入する前と，購入して消費した後（ジュースを飲んだり，ローションをつけたりした消費後）の唾液を採取して，コルチゾール値を計測した。表における「ジュース（50ml）杯」および「ローション（3ml）塗り」における数値は，その財の消費量を表している。また，Beforeは消費前のコルチゾール値であり，Afterは消費後のそれである。

ケース 1 （ジュース100円／杯，ローション50円／塗り）

性別	ジュース（50ml）杯	ローション（3 ml）塗り	Before	After
女	1	4	0.1470	0.0792
男	1	4	0.1516	0.0796
男	2	2	0.1627	0.0729
女	1	4	0.1546	0.0697
女	1	4	0.1638	0.1239
女	2	2	0.1382	0.0662
女	2	2	0.1327	0.0543
男	2	2	0.0841	0.0759
男	3	0	0.4666	0.0944

ケース 2 （ジュース50円／杯，ローション100円／塗り）

性別	ジュース（50ml）杯	ローション（3 ml）塗り	Before	After
男	2	2	0.1672	0.0946
女	2	2	0.1260	0.0923
女	2	2	0.2598	0.0973
女	2	2	0.0549	0.0500
女	1	2	0.3592	0.1745
男	1	2	0.0786	0.0832
男	2	2	0.1879	0.0467
女	2	2	0.2635	0.1436
女	2	2	0.0739	0.0634
男	2	2	0.0672	0.0726
男	1	2	0.1078	0.0684

ケース 3 （ジュース100円／杯，ローション100円／塗り）

性別	ジュース（50ml）杯	ローション（3 ml）塗り	Before	After
男	1	2	0.0304	0.0594
男	2	1	0.3207	0.1431
男	1	2	0.1931	0.1061
男	2	1	0.4095	0.1457
女	2	1	0.2180	0.1026
女	1	2	0.2948	0.0943
女	2	1	0.5586	0.1839
女	3	0	0.0468	0.0553

結果

　財の消費後におけるコルチゾール値の変化率を効用（マイナスの絶対値が大きい方が良い）と仮定し，それを経済モデル（数式）に代入することでアカエゾマツジュースとアカエゾマツローションの最適生産量を推定した（数式を提示した）。なお，これは新商品を消費者に認識してもらう期間までの一時的な最適生産量であることにも留意されたい。

結び

　本章での経済モデルの特徴は，効用の数値に，ストレスの大きさを測れる人唾液中コルチゾール値を使ったことである。アカエゾマツと言う経済的に未使用の樹種に経済価値をつけるため，アカエゾマツからできている商品の最適販売数量を決める実験をした。アカエゾマツを有効利用することによって，北海道をはじめ日本林業の活性化を図りたいという意図がある。新商品で消費者の信頼を勝ち取るまでの初期においては，消費者の効用を最大にするように経済理論に沿った数量の生産を行っていくことが重要である。

第7章　ニュージーランド林業と日本林業の比較研究

問題設定

　南半球に位置するニュージーランドは，森林立国である。世界のお手本ともいえるニュージーランドの林業であるが，実はこの国の持つ森林資源は日本よりも遥かに少ない。それでも，日本よりも効率的で林業の成功事例とまで言われているのは何故だろうか。本章は，それを探ることにより，日本の林業発展の手がかりを得たい。

調査方法

　ニュージーランド林業と日本林業の相違について，「森林資源」，「生産手法」，「制度」，「産業構造」の四点に着目し，それぞれの国の林業に関する数値データや制度等について比較することにした。また，我々が用いる数理モデルを使い，ニュージーランド林業がどのような構造をしているのか（収益を挙げられているか，競争が維持されているか否か）を日本林業と比較しながら明らかにする。

調査結果―日本との違い―

【森林資源について】

　ニュージーランドと日本の森林資源に関する違いは下表のとおりである。

<日本とニュージーランドの森林資源に関するデータの比較>

	国土面積 （千ha）	森林面積 （千ha）	森林率 （%）	人工林面積 （千ha）
日本	36,450	24,958	68.5	10,270
ニュージーランド	26,331	10,152	38.6	2,087

　ニュージーランドの国土は日本の約3/4にあたり，その森林率は38.6％であり，森林面積も日本と比較して大幅に少ない。また，ニュージーランドでは天然林の伐採が原則禁止されているため，実際に施業可能な森林面積は更に少ないと言える。こうした背景があることから，ニュージーランドは日本以上に経済効率を重視した林業を確立させる必要があった。

生産手法について

　ニュージーランドの林業は「木は大きく太ければ良い」という単純な考え方はしない。生産する木材に対して最も効率的に価値を付加できるように，緻密な計算に基づいた生産管理を行っている。例えば，木材を生産するにあたり，もっとも費用がかからないサイズ（胸高直径（太さ）など）が研究されているのである。一方，日本では，多くの自治体の標準伐期齢（標準的な主伐の林齢）に，平均成長量が最大となる年齢が基準として採用されるなど，ニュージーランドのように経済的な観点を重視した生産管理は行われていない。また，ニュージーランドの林業では植栽する産業用の樹種を，生産や加工が容易なラジアータパインの一種に絞っており，それに対する集中的な管理・研究を行うこともできている。この点でも，南北縦に長く，国土面積で比較して非常に多様な樹種を扱う日本との違いがある。

制度について

　ニュージーランドでは林業は完全に民営化されている。天然林での施業が原則的に禁止されているが，人工林では自由に施業を行うことができる。また，天然林と人工林が明確に区分されており，施業が可能な場所とそうでない場所が容易に把握できる構造になっている。このようにして，林業に携わる人々の負担が軽減されることは，新たな技術を導入し，活用する速度を高めることにも寄与している。しかし日本では，人工林であっても保

安林（森林施業に制限がかけられる森林）などに指定されている場所もあること等から，施業をする際には様々な確認が必要となるため，ニュージーランドほど簡単に施業の可否の判断をすることができない。そのため，林業に携わる人は幅広い法知識を持ち合わせなければならず，それが林業に従事するためのハードルの一つとなっている。

産業の構造について

　ニュージーランド林業と日本林業に関して様々なデータを基に，我々のモデルを用いて分析を行った結果，ニュージーランド林業は「規模に関して収穫逓減」（利潤があげられるため競争力が高い）であり，日本の林業は「規模に関して収穫逓増」（利潤があげられないため競争力が低い）であることが判明した。つまり，ニュージーランドの林業は，生産すればするほど，次第に生産の伸び率が減っていくという産業構造になっており，これは成熟した産業に見られる傾向である。この産業の成熟は，日本に比して洗練された生産手法や制度の賜物であると考える。また，経済成長期などの通常期においては，この産業構造は技術進歩に寄与する。それに対して日本林業は，理論上，産業内の資本と労働を増やし，木を伐れば伐るほど利益が増えるという産業構造ということである。言い換えれば，日本林業はまだまだ生産性を拡大する余地のある状態となっている。通常期を対象に考えれば，「技術進歩により寄与する」のは（競争の激しくない）「規模に関して収穫逓減」の産業構造であり，この点から見ると，ニュージーランド林業の方が日本林業よりも望ましい産業構造をしていると言える。

結び

　本章での調査を通じて，ニュージーランドと日本の林業には，産業の資源量，制度，構造などといった様々な面で相違があることが分かった。日本はニュージーランドよりも恵まれた森林資源を保有しているが，ニュージーランドは洗練された生産手法や制度などを用いることによって日本よりも効率的かつ収益性の高い林業を実現している。だが，ニュージーランドの取り組みをそのまま日本に取り入れるのは難しい。日本には国土が縦長で急峻な山が多いという地形的特徴や，それによる気候の多様さがあり，林業を行うこと自体の難易度がニュージーランドより高いからである。その上，森林資源に対する考え方から，ニュージーランドほど樹種の絞り込みを行うことも困難である。しかし，ニュージーランドを手本として，制度を改善して施業可否の判断をより簡易にできるようにすることなどは可能である。また，多様な地形的条件や気候に適した施業を行っていくためにも，林野庁や地方自治体の政策を軸に据えた体制の下，ニュージーランドの林業の良い部分を上手く取り入れていくことが重要となる。

第8章　東南アジアにおける林業の現状の見える化

目的

　かつての東南アジア林業は，経済優先の姿勢から森林を軽視してきた。東南アジアの各国政府は，森林の減少に危機感を抱くようになり，その立て直しが図られてきた。だが，林業とは根本的に森林保護との競合関係にある産業であり，両者の共存は簡単にできることではない。本章の目的は，こうした困難な状況での運営を迫られている東南アジア内の四カ国（ベトナム，マレーシア，フィリピン，タイ）の林業の特徴や構造などを，経済学的な指標に沿って見える化することである。

方法

　各国の林業事情について概観し，その後，経済学的な指標に基づいた分析によって明らかになった，各国の林業の特徴や構造などについて解説を行っていく。

各国の林業

【ベトナム】

　1945年には森林被覆率が43％であったベトナムは，乱伐の影響により，1990年には森林被覆率が27％にまで減少してしまった。政府は1990年代から森林保護のための取り組みを開始し，2005年には被覆率を37％にまで回復させることに成功した。しかし，造林面積が増やせたものの，その中の木が育ちきれていないため，製品にできる木が十分に存在していなかった。また薪炭材の過度な使用により，森林の質の低下と植林適地の分散化などといった問題も生じてしまった。これらの問題を解決するために，政府は新たな森林保護の取り組みを行ったが，目ぼしい成果を上げることはできず，木材不足の問題は今も尚解消されないままでいる。こうした背景があることから，ベトナムは家具生産などの木材を用いる生産活動において，輸入木材に頼っている状態にある。

【マレーシア】

　マレーシアの森林面積は2,046万ヘクタールと，国土の約62％になると推計されており，その中には保全すべき重要な地域も存在している。だが，商業伐採，農地開発，ダム建設等によって，1990年から2005年の15年の間に20万ヘクタール以上の森林が失われ，一部の地域では森林喪失が懸念されている。この国における森林減少対策には日本からの援助を

積極的に受け入れるという面もあるが，1994年の国家森林法改正や，伐採権のバーコード・タグ・システムの導入などによって，違法な伐採の取り締まり策を強化することも行っている。また，PEFCやMTCSと呼ばれる森林認証制度を用いて，適正な森林施業を公的に認定し，それによって木材に付加価値も与えることにより，民間企業に於ける持続可能な森林経営をより一層推進させている。2007年から2010年にかけての森林率増加という事実から見ても，これらの森林減少対策には一定の効果があったと考えられる。

【フィリピン】

　フィリピンは世界でも急速に森林破壊が進行した国である。他の東南アジア諸国よりも先んじて社会林業事業を導入したにも関わらず，森林減少に歯止めがかかったのは1990年代頃からであった。その背景として，1960年代にはじまった大規模な伐採や鉱業，焼畑農業，1980年代以降の土地転換や森林火災などが指摘される。1990年ごろから森林面積は微増傾向にあるものの，その殆どは天然更新によるものであるとの報告もある。森林政策が効果を上げない理由として，事業関係者の汚職，担当政府機関の非効率な運営，住民参加型森林管理制度（コミュニティに根差した森林管理）の導入が原因としてあげられている。住民参加型森林管理制度は，1995年の大統領命令によって本格的に制度化されたものであり，政府はこれを通じて，住民による自発的な森林管理が促進することを想定していた。しかし，この制度は，もともと森林管理の慣習をもたない者に管理を押し付けている面もあり，実質的には機能していないという指摘が強い。

【タイ】

　タイもまた著しい森林減少を辿った国である。その背景として，伐採技術の進歩，木材運搬システムの向上，および著しい人口の増加等があげられる。だが，1988年に発生した洪水被害をきっかけとして，政府の森林政策への批判が高まり，政府は森林政策に本腰を入れるようになった。それから天然材の伐採禁止や保護林の規定を強化することによって，1990年以降にようやく森林減少に歯止めがかかった。1980年後半からはフィリピン同様，住民参加型森林管理制度を採用する動きが出ているが，これには政府主導の森林管理に対する住民の反発があったことが背景にある。

各国の林業の特徴や構造などについて

　我々の経済学的指標の分析によって，これら四カ国の林業には二つの共通点があることが分かった。まず一つ目は，四カ国の林業は技術的に見ると横並びになっており，どれか一つの国が技術的に突出している訳ではないということ。二つ目は，機械ではなく，人間の労働力によって担当される産業内の業務の割合が多い，労働集約的な産業であるという

ことである。産業構造について見ると，森林保全との両立を目指す場合において，採算も見込める最も望ましい産業構造を有しているのがフィリピン，タイ，ベトナムの三カ国であるが，マレーシアはそれが難しい産業構造となっていた。また，各国の林業の技術進歩率の高さの順番は，各国のGDPの大きさの順番とほぼ一致しており，林業の技術進歩率は国の豊かさに応じて決まっていることも判明した。

結び

　本分析の対象とした東南アジアの四カ国の森林は，多くの苦境を乗り越えてきた。その結果，ベトナム，フィリピン，タイのように良い林業の在り方を形作れた国もあれば，マレーシアのように未だ発展途上の中にある国もある。また，第1章での分析と，本章での分析を組み合わせると，意外にもベトナム，フィリピン，タイの三カ国の林業は，日本の林業に比して優れた産業構造を有していることも分かった。日本はこれらの国の林業から産業のあり方を学び，生産性の高い産業構造の構築を目指していくべきだと言える。

り，何十年も前の先人たちの努力が反映されている。植栽から今日に至るまでの無数の人たちが手入れの努力をしてくれた。木の資源を，石炭や石油のような鉱物資源と同様に考えるのはまちがえだ。木は人間が植え，長い年月をかけて人間が手入れをし，ようやく資源となりうる存在である。

　こうしたことを国民が知らなければ，すなわち国産材と外材の差別化ができなければ，不毛な価格争いになってしまう。国産材の魅力を需要側から供給側に送ることによって，生産構造を大きく変えるきっかけとしたい。需要側が，国産の木材に価値を見出せば，効用も高まり，それが生産者側への刺激になろう。

参考：データの出所

1 ）林業産出額：農林水産省HP
　http://www.maff.go.jp/j/tokei/kouhyou/ringyou_sansyutu/
2 ）資本ストック：一橋大学経済研究所JIPデータベース
　http://www.ier.hit-u.ac.jp/Japanese/databases/index.html#10
3 ）資本ストックデフレータ：国民経済計算農林水産業を使用
4 ）就業者総数（林業）：http://www.rinya.maff.go.jp/j/kikaku/hakusyo/
　林野庁HP：森林・林業白書
　平成25年度森林・林業白書　参考付表（平成20〜24年，平成17年，平成12年，平成 7 年，昭和55年）
　http://www.maff.go.jp/hakusyo/rin/h05/html/r1020205.htm
5 ）名目賃金："第 3 表 所定内給与額の推移"。賃金構造基本統計調査
　http://www.e-stat.go.jp/SG1/estat/List.do?bid=000001014755&cycode=0
6 ）消費者物価指数：平成22年消費者物価指数（2015年 1 月30日発表）総務省（以下同様）
　http://www.e-stat.go.jp/SG1/estat/List.do?bid=000001033700&cycode=0
7 ）インフレ率：上記の消費者物価指数を基に計算
8 ）名目金利：平成24年度年次経済財政報告。内閣府
　http://www5.cao.go.jp/j-j/wp/wp-je12/h10_data07.html
9 ）きのこ産出額：農林水産省HP
10）木材デフレータ：消費者価格物価指数表（2010年基準）
11）キノコデフレータ：消費者価格物価指数表（2010年基準）

第2章　林業の閉鎖性の打破
── 中間取引を考慮したケース ──

1．目的と先行研究

1－1　目的

　日本の林業は閉鎖的であるといわれて久しい。専門的な施業が多く，他の産業の参入が難しい事情があるからである。しかし，このことが，日本の林業を経済的に非効率にしてしまっている。

　本章の目的は，今回の分析に産業連関分析を利用することにより日本の林業の閉鎖性を証明することであり，そしてその開放案を提示することである。産業連関分析を活用した理由は，林業と他の産業との取引の状況を調べることができ，同時に林業の最適な生産を行うために他産業との取引をどのように強化していくべきかを明示できるからである。その際活用するのは，H.タイルが開発したシステム－ワイド・アプローチ生産理論である。これを産業連関分析に適用した形で活用する。最適生産を実現する投入係数の値を導き出し，その数値と現実の投入係数の値を比較する。そのことにより，他産業と，より一層活発な中間生産物の取引を行うことが林業の最適な生産に近づくことを証明する。すなわち，閉鎖的な体質を開放していく必要性を説いていく。具体的には，閉鎖性を開放するにあたって，建設業やNPO法人など「他部門」に開放することを提案していく。

1－2　先行研究

　第1章で紹介したH.Theil（1980b）のシステム－ワイド・アプローチを利用した。Theilは生産理論も展開し，産業連関分析の応用の可能性を示し，そ

こで使うべき式も提示している。しかしながら，Theilは，本章が展開する投入係数の比較分析までは至っていない。本章は，日本で初めて，システム－ワイド・アプローチの産業連関分析を実証に応用する論文であるといえよう。

日本の林業に関して，産業連関分析を活用した研究は，山本伸幸（2007）がある。オーストリアの林業との比較研究となっている。国民経済を成長させるため，林業の中間生産物市場や国内最終需要との結びつきの在り方を「波及」の点で論じている。しかし，そこでは，本章のように，林業の閉鎖性の打破という目的は論じていない。また，最適生産を達成する投入係数の在り方も論じていない。2000年の一時点での分析であり，本章のように1990年半ばから2011年までの時系列の分析ではない。

日本でも，林業以外にも森林に関する施業実施主体を広げるべきだという先行研究がある。森林ボランティアに広げていくことが望ましいとする文献に，奥村文男，桂猛（2006）や山本信次（2003）がある。日本での森林ボランティアの意義や現状を分析するとともに，受け入れ側の森林所有者にもアンケートをとり，（森林ボランティアの参入で）「生産性の向上を期待できる」が１位という結果を得ている。また，建設業に広げていきたいとする研究には，米田雅子（2012）がある。建設業界にアンケートをとり，林業への参加の可能性を探った内容であった。ただ，両者とも，参加側の意志を確認し，その際の障壁を明らかにした段階で止まっており，産業間の経済理論的な適正水準指標を示すまではいたっていなかった。

日本の林業の閉鎖性打破という目的のため，こうした論文をベースとしつつ，本章は，これらの論文の未達成の点を実現させ，より一層発展させた研究を行ったつもりである。

２．林業分析の産業連関モデルの構築とその推定

２－１　林業分析の産業連関表による実態把握

次に，産業連関表で林業を分析するために，通常の産業連関表を「林業」

「その他部門合計」に2分類する分析法をとった。表2-1を見られたい。横に，林業，その他部門合計，最終需要，国内総生産額をとり，縦に，林業，その他部門合計，資本ストックK，労働L，国内総生産額をとった。

表2-1 2×2の産業連関表

	林業	その他合計	最終需要	国内総生産額
林業	q_{11}	q_{12}	$q_{1,0}$	z_1
その他合計	q_{21}	q_{22}	$q_{2,0}$	z_2
K	K_1	K_2		
L	L_1	L_2		
国内総生産額	名目でC_1	名目でC_2		

　中間投入量をq_{11}，q_{12}，q_{21}，q_{22}，最終需要を$q_{1,0}$，$q_{2,0}$，横の合計の国内総生産額をz_1，z_2，資本ストックをK_1，K_2，労働をL_1，L_2で表す。これらは，数量を表すことから，2005年基準の実質値として表す。ただし，縦軸の合計である縦の一番下の国内総生産額については，林業，その他部門合計の，それぞれの費用でもあり，費用については名目値C_1，C_2で表す。

　この構成で1995年より2011年までの産業連関表を作成した[1]。

2-2 産業連関分析による林業投入需要の計算式と推定

　H.Theilのシステム-ワイド・アプローチを紹介しよう。システム-ワイド・アプローチの式は次のように表される。利潤最大化によって，各生産要素需要を，生産量，各要素価格で説明する，生産要素の投入需要方程式を得る。

$$f_1 \mathrm{dln}q_1 = \theta_1 \gamma \mathrm{dln}z + \pi_{11} \mathrm{dln}p_1 + \pi_{12} \mathrm{dln}p_2$$
$$f_2 \mathrm{dln}q_2 = \theta_2 \gamma \mathrm{dln}z + \pi_{21} \mathrm{dln}p_1 + \pi_{22} \mathrm{dln}p_2 \qquad (2-1)$$

---

(1) 産業連関表については，総務省1995年，2000年，2005年，2011年産業連関表および延長表をベースとした。2×2への加工方法については，付録を見よ。

t_1，t_2は各生産要素の要素シェア（総費用に占める各生産要素費用の割合），θ_1，θ_2は各生産要素の限界シェア（利潤最大化条件の下で限界費用に占める各生産要素費用の割合）である。q_1，q_2は生産要素数量，p_1，p_2は生産要素価格である。γは，その逆数が規模の弾力性である。π_{11}，π_{12}，π_{21}，π_{22}は代替パラメータ（スルツキー係数）である。zは生産量を示すので，生産量と生産要素価格によって生産要素の数量が決まるという形になっている。特徴的なのは，変数が，微分形になっているということである。$\ln$は自然対数であり，たとえば$d\ln z$で，zの増加率や伸び率を示すので，その他の各変数とも増加率，価格上昇率になっている。

Theil（1980b）は，（2-1）式を産業連関分析に適応させる形に書き換えた。

$$p_1 dq_1 = (\gamma p_1 q_1/pz)pdz + C(\pi_{11}d\ln p_1 + \pi_{12}d\ln p_2)$$
$$p_2 dq_2 = (\gamma p_2 q_2/pz)pdz + C(\pi_{21}d\ln p_1 + \pi_{22}d\ln p_2) \qquad (2-2)$$

ここで，Cは総費用$p_1 q_1 + p_2 q_2$である。

他方，表2-1の産業連関表の横の合計について次式が成り立つ。

$$z_1 = q_{11} + q_{12} + q_{1,0}$$
$$z_2 = q_{21} + q_{22} + q_{2,0} \qquad (2-3)$$

各変数は，表1の変数に対応している。

次に（2-2）式を我々の作った産業連関表に合わせて書き直す。

$$p_1 dq_{11} = a_{11}m_1 p_1 dz_1 + C_1 \pi^1_{11}d\ln p_1 + C_1 \pi^1_{12}d\ln p_2 + C_1 \pi^1_{1K}d\ln p_K$$
$$+ C_1 \pi^1_{1L}d\ln p_L$$
$$p_1 dq_{12} = a_{12}m_2 p_2 dz_2 + C_2 \pi^2_{11}d\ln p_1 + C_2 \pi^2_{12}d\ln p_2 + C_2 \pi^2_{1K}d\ln p_K$$
$$+ C_2 \pi^2_{1L}d\ln p_L$$
$$p_2 dq_{21} = a_{21}m_1 p_1 dz_1 + C_1 \pi^1_{21}d\ln p_1 + C_1 \pi^1_{22}d\ln p_2 + C_1 \pi^1_{2K}d\ln p_K$$
$$+ C_1 \pi^1_{2L}d\ln p_L$$
$$p_2 dq_{22} = a_{22}m_2 p_2 dz_2 + C_2 \pi^2_{21}d\ln p_1 + C_2 \pi^2_{22}d\ln p_2 + C_2 \pi^2_{2K}d\ln p_K$$

$$+C_2 \pi^2_{2L} d\ln p_L \tag{2-4}$$

π の肩の数字はべき乗ではなく，投入要素の番号を表している。p_K は資本の価格，p_L は労働の価格である。生産関数が相似拡大のとき次式が成り立つ。

$$m_1 = \gamma_1 C_1 / p_1 z_1$$

$$m_2 = \gamma_2 C_2 / p_2 z_2$$

$C_1 = p_1 z_1$ および $C_2 = p_2 z_2$ なので，$m_1 = \gamma_1$，$m_2 = \gamma_2$ となる。つまり m_1 と m_2 は規模の弾力性の逆数となる。

　これらの式を制約付き 3 段階最小 2 乗法で計算した。推定期間は1995年から2011年までである。パラメータの対称性の制約をおいて，この期間K，Lの価格項は，ゼロ金利や賃金の硬直化で価格変化なしと仮定して外した。

表 2 - 2　パラメータ推定結果

	右辺第 1 項	右辺第 2 項	右辺第 3 項	決定係数
第 1 式	0.0260	−0.0510	0.0211	0.0209
第 2 式	0.0002	0.0032	−0.0027	−0.2589
第 3 式	0.1879	0.2119	−0.5666	0.5431
第 4 式	0.6425	−0.0027	0.4954	0.8786

m を γ で置き換えてみる。右辺第 1 項が，$a_{11}\gamma_1$，$a_{12}\gamma_2$，$a_{21}\gamma_1$，$a_{22}\gamma_2$ のパラメータ推定値である。他は，価格項の代替パラメータの値を示す。t 値については，変数が変化率の場合は無効となるので示さない。決定係数については，第 3 式は低くなっているが，その他については，説明力があると解釈できよう。

3．日本の林業のあるべき姿の研究

3 - 1　最適投入係数の計算

　ここで γ_1 と γ_2 を求める作業を行う。

　表 2 - 2 より次の式が成立している。

$a_{11} \gamma_1 = 0.0260$

$a_{12} \gamma_2 = 0.0002$

$a_{21} \gamma_1 = 0.1879$

$a_{22} \gamma_2 = 0.6425$

他方，産業連関表なので縦の投入係数の合計は 1 になる。

$$a_{11} + a_{21} + a_{K1} + a_{L1} = 1 \qquad\qquad (2-5)$$

$$a_{12} + a_{22} + a_{K2} + a_{L2} = 1$$

a_{K1}, a_{L1}, a_{K2}, a_{L2}は，林業，その他部門の，資本と労働に関しての投入係数である。縦の列で，資本と労働の合計は，林業，その他部門についての粗付加価値で表されるので，$a_{K1}+a_{L1}$, $a_{K2}+a_{L2}$については，それぞれ林業，その他部門の，「総費用に占める粗付加価値の割合」として得られる。その割合は，総費用を説明変数，粗付加価値を被説明変数として，定数項がゼロの通常最小2乗法でパラメータ推定値として求まる[2]。

$a_{K1} + a_{L1} = 0.6462$

$a_{K2} + a_{L2} = 0.5360$

---

(2) 実際の産業連関表で，KとLとの明確な区別がなく，KやL等をすべてを足して粗付加価値としている。そこで，産業連関表の粗付加価値の値Gを，KとLの合計ととらえて，定義に従い下記の式を作った。$a_{G1}(=a_{K1}+a_{L1})$は縦の林業の粗付加価値の投入係数，$a_{G2}(=a_{K2}+a_{L2})$は縦の「その他部門」の粗付加価値の投入係数とする。

(K_1+L_1)の名目値$=a_{G1}C_1$

(K_2+L_2)の名目値$=a_{G2}C_2$

を推定した。それによって，a_{G1}, a_{G2}の推定値が求まった。

(K_1+L_1)の名目値$=0.6462C_1$

(45.2132)

$R2=0.992334$

(K_2+L_2)の名目値$=0.5360C_1$

(105.115)

$R2=0.9985$

推定期間は1995年—2011年である。

よって，上式で表された連立方程式が解ける。その結果は次のようになる。

$\gamma_1 = 0.6045$

$\gamma_2 = 1.3851$

$a_{11} = 0.0430$　　　$a_{12} = 0.0001$

$a_{21} = 0.3108$　　　$a_{22} = 0.4638$

林業のγ_1は第1章のγである。第1章において，$1/\gamma$は1.3402であったが，ここでもγ_1は1.6542と計算された。誤差はあるものの，ここでも林業が規模に関して収穫逓増であることが証明された。

3－2　最適投入係数と現実の投入係数の乖離

　最適投入係数と現実の投入係数の乖離を見てみよう。上記で導いた投入係数が利潤最大化のための値つまり最適投入係数である。現実の値からそれを引く。

図2-1　投入係数の最適値と現実値の乖離

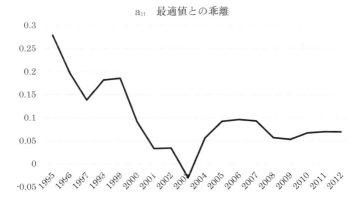

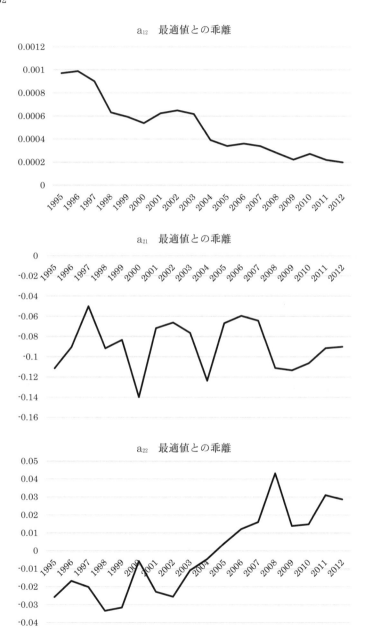

a_{12}　最適値との乖離

a_{21}　最適値との乖離

a_{22}　最適値との乖離

プラスは取引が大きすぎ，マイナスは取引が少なすぎを意味する。投入係数の各乖離の平均を計算してみよう。

a_{11}の乖離＝0.0992　　　　a_{12}の乖離＝0.0006

a_{21}の乖離＝－0.0890　　　a_{22}の乖離＝－0.0036

これらの値から各投入係数について次のことが言える。

a_{11}：多すぎ

a_{12}：ほぼ最適

a_{21}：少なすぎ

a_{22}：ほぼ最適

この数字が示している意味は，林業同士の中間取引が大きすぎであり，一方，「他部門」から林業への中間生産物の流れが小さすぎを意味する。これは林業の閉鎖性を示している。

　林業同士での投入係数a_{11}の最適値と現実値との乖離の大きさについて，林業同士の中間生産物の取引を平均10％弱減らさなければならないことが示されている。同時に，他産業から林業への流れを示す投入係数a_{21}について現実値が最適値に約９％足りないという事実が見られる。計算結果から，最適な生産活動を行うためには，林業同士が減らした分の約10％を他産業からの中間生産物として増やせばよいことが言える。

　林業の閉鎖性を打破し，もっと他産業との取引を活発化させる必要があろう。具体的にすべきことは，これまでの森林施業にありがちだった，林業者のみが森林施業の委託を受け，林業者間のみで仕事を完成させるのではなく，施業内容等を吟味し，林業者以外の他産業に委託した方が効率的と思われる施業は，積極的に委託していくことである。これによって，林業から仕入れていた分を他産業から仕入れることになり，林業が開放されることになる。

　日本の林業の閉鎖性を取り除き，他産業から中間投入物をより一層多く購入していくべきである。

4. 他産業の林業参入の可能性

　他産業から中間生産物をより多く取り入れ生産性を高める産業構造をつくる必要性を述べる。これは，林業者同士で行っていた施業について他産業への委託を増やしたり，林業が行っていた施業を他産業に開放することを意味する。

4-1　建設業参入の可能性

1) 参入の可能性

　地方建設業の担い手が余剰なケースが多々あるのに対し，林業の担い手が恒常的に不足している。米田雅子（2012）では，第1に労働の移動が可能な点，および，第2に地方建設業が土地改良事業，治山・治水事業等に従事しており，林業への親和性が高い点から，地方建設業の林業への新規参入が可能であることを示唆した。

2) 参入の課題

　林業に新規参入するにあたり，事実上の障壁がある。その障壁とは，補助金申請の煩雑さ，森林区分の煩雑さ，森林情報の非対称である。特に，森林区分の煩雑さは新規参入を阻む原因ともいえる。たとえば，保安林に代表されるように，施業内容にはさまざまな制限がでてくる。立木の伐採には知事の許可が必要であり，間伐をする際にも届出が必要である。また，森林情報の非対称についても，森林の現況を記した森林簿があげられる。これは，森林の情報を知る上で重要な資料だが，森林組合だけが複写の所持を許され，他産業には公開されてこなかった。これらが，実質的な参入障壁として機能してしまっていた。

　これらに加えて，もちろん現段階で一番大きな課題は，森林施業の機械設備を持たず，技術力がない建設業がすぐには関われないことである。それを解決するために建設業がすぐ動くかというと，収入規模の大きい建設関連事業から，収益規模の小さい林業に魅力を感じないのも事実である。

3）問題解決

　しかし，逆に言えば，2）で米田があげた障壁を取り払えば，建設業が参入可能であることを意味する。手続きや情報の非対称性については規制緩和で解決の方向に進める。また，産業の枠を超えた協働により，建設業が魅力を感じる収益構造に林業を変えていくことも肝要となる。

4 － 2　NPO法人への委託の可能性

1）参入の可能性

　山本信次（2003）によれば，現在林業に関与可能な，注目できる活動は森林ボランティア関連組織の活動である。嶋田俊平氏のアンケート調査（2003年）によると[3]，森林所有者の72.7％がボランティア団体による森林整備を希望している。そして，森林ボランティア団体側としても，森林施業のような具体的な活動内容を得られることには意義がある。森林ボランティア活動は，ある人にとっては社会奉仕活動であるが，また別の人にとっては森林技術の習得の機会としても位置している。また，森林施業のような具体的活動を与えられたことによる社会貢献意識もあり，2000年度報告の林野庁の調査では[4]，「社会貢献」が森林ボランティアへの参加動機の2番目に挙がってきている。森林所有者とNPOはお互いが必要としている関係にある。

　森林施業は，大きく分けると，木を植える業務（植栽），木を育てる業務（保育），木を伐る業務（伐採）に分けられる。この中で，大がかりな機械設備を必要としない作業は，木を育てる業務（保育）であり，NPOでも比較的に参入が可能と思われる。

---

(3)　嶋田の調査に関しては，山本信次（2003）pp.103-104に掲載。

(4)　林野庁の調査については，「平成12年度森林・林業白書」p.45 図Ⅱ－4　森林づくり活動の主な動機（林野庁業務資料）に掲載。
　　（URL　http://www.maff.go.jp/hakusyo/rin/h12/html/index.htm）

2）参入の課題

　NPOが森林施業を実施することによるメリットは大きいが，これまで林業者が長年培ってきた森林技術をそのままNPOが実施できるということは考えにくい。前段で，参入が可能として説明した「木を育てる業務（保育）」を中心とした業務が，下刈と呼ばれる，植栽した木の周りの下草を刈る作業になる。刈払機の使用にあたっての技術力のほか，下草と植栽した木とを見分ける能力も必要になってくる。木を植える業務（植栽）については，どの場所に木を植栽したら良く育つかなどの予測（または勘）を必要とし，木を伐る業務（伐採）については，機械購入のほか，どのように木を伐り倒し，搬出すれば良いのかなどの判断にも迫られ，現状のNPOには難しい作業となる。林業者が保有している技術力を，どのようにNPOに伝えていくか，その仕組の構築も今後の課題と思われる。また，法人でない単なるボランティア組織だと，消滅して継続的な請負ができない恐れも考えられる。

3）解決

　課題解決の一つに，NPO法人などのソーシャルビジネスを取り入れることがあげられる。林業同士の取引を減らし，NPO法人等にその分を開放していくという提案である[5]。近年の環境意識の高揚により，森林ボランティアのNPO法人の数も増加の一途を辿っている。NPO法人ならば，経営，会計が確立され，責任が負える形になっている。そして継続性も確保できる。

　これは，日本のソーシャルビジネスのより一層の発展のための提案でもある。日本のNPO法人は補助金に頼ることが多く，自立したソーシャルビジネスを確立するのはなかなか難しい。

　ここで提案したようなNPO法人の林業界への参入を通して，ソーシャルビ

---

(5)　髙栁 大輔，髙橋 睦春，今瀬 政司（2002）の分析の基礎になった独立行政法人経済産業研究の『2000年NPO分析用産業連関表』の作成方法にもあるように，NPO法人については「分類不明」項で処理される。その「分類不明」は，我々の2×2の産業連関表では「その他部門」に含まれる。つまり，NPO法人の項は「その他部門」に含まれる。よって，林業同士の取り引きを少なくして，その分をNPO法人に回すという論理が成り立つ。

ジネスをさらに発展，育成させる機会ととらえる。NPO法人が閉鎖性が指摘される林業と市民との橋渡し役を担い，市民が，より一層，林業にビジネスとしてかかわれる機会を作っていくべきであろう。

5．総括

　今回，林業が長年抱えている問題の一つである閉鎖性について，数値化して明らかにした。このような閉鎖性の問題が産業連関分析の手法から明らかになったのは初めてであり，具体的に「林業同士の中間生産物取引を平均約10%弱減らし，その分を他産業取引により補うことで，林業取引を適正化させることができる」という具体的な数値も明示することができた。

　「その他産業」取引として何を代替させるかは，今後も議論が分かれるところであろう。様々な産業があり，今後の技術進歩等も考慮しなければならないため，安易に説明し尽くすことはできない。ここでは既に指摘されていた地方建設業の新規参入に加えて，NPO法人などの森林関連ソーシャルビジネスの充実を案の一つとして提示した。森林関連ソーシャルビジネスとしてのNPO法人の参入の案の一つとして指摘することができた。

　今回，解決策として，建設業とNPO法人の新規参入を案として提示したが，それ以外の業界の新規参入の可能性も考えられる。また，本章の手法は 2×2 の部門分析だったため，建設部門や，「分類不明」部門に含まれるNPO法人活動など，他産業の中間投入物をどのように増やすべきか，その具体的な数値を個別に明示することはできなかった。今後，建設業やNPO法人部門（「分類不明」）など部門数をより細分化する必要がある。そうした分析を行うことで，林業取引における適切な，かつ，具体的な指標を示すことができ，さらに踏み込んだ理論を提示することができる。

　日本の林業の発展は，森林整備を通して環境保全にもつながる。林業の健全な発展は，日本の自然環境の持続的成長につながる。今後，林業の閉鎖性の問題について，さらなる研究をすすめ，日本の林業の発展に貢献していきたいと

考えている。

付録

○各データについて

・林業価格は，ヒノキ，スギ，カラマツのデータからラスパイレス方式で2005年を基準に筆者たちが指数化したものを用いている。

・林業の実質国内生産額の算出には，上記の林業価格指数を用いた。

・「その他部門」の実質国内生産額の算出には，2005年基準の国内企業物価指数総平均（日銀）を用いた。

・林業から林業への実質投入額の算出には，上記の林業価格指数を用いた。

・林業からその他部門への実質投入額の算出には，上記の林業価格指数を用いた。

・その他部門から林業への実質投入額の算出には，2005年基準の国内企業物価指数総平均を用いた。

・その他部門からその他部門への実質投入額の算出には，2005年基準の国内企業物価指数総平均を用いた。

・林業の実質最終需要の算出には，2005年基準の消費者物価指数・総合を用いた。

・「その他部門」の実質最終需要の算出には，2005年基準の消費者物価指数・総合を用いた。

・資本の価格である利子率については，国内銀行貸出約定金利（日銀）から国内企業物価指数総平均（2005年＝100）の伸び率を差し引いて実質化した。

・賃金指数は，厚生労働省毎月勤労統計調査を用いた。

○2×2の産業連関表の作り方

・1996年は延長表が存在しないので，まず1995年の2部門表を作成し，それを基に推計した。その手順は，総務省の延長表作成方法に従った。

・1997年から1999年までは，林業を残し，その他部門をひとつにまとめた。2000年以降は，林業部門が存在しないので，先ず，農林水産業部門を残し，それ以外の部門を，その他部門としてまとめた。2011年までの 2 × 2 の産業連関表を作成した。

○産業連関表延長表作り

　総務省が作成した産業連関表は1995年，2000年，2005年，2011年のものである。各年度の延長表は総務省が発表している。その資料を基に，筆者たちが，林業部門に関する産業連関表の延長表を作成した。

　林業部門と「その他部門」の 2 部門にまとめた。2001年度以降は林業の部門がないので，以下の2000年，2005年，2011年の農林水産業に対する林業の比率を基準に算出した。ここでは，2000年から2005年，2006年から2010年の間の，農林水産業に対する林業の比率を一定と仮定している。内生部門における投入額には，内生部門計の割合を乗じている。林業国内生産額および林業最終需要は，国内生産額での割合を乗じている。「その他部門」の国内生産額および最終需要は，国内生産額および最終需要から，算出した林業国内生産額および林業最終需要を差し引いて求めた。

農林水産業対林業比率	
内生部門	
2000年	0.0768
2005年	0.0582
2011年	0.0441
国内生産額	
2000年	0.099
2005年	0.0964
2011年	0.0644

第3章　日本林業の縮小均衡の打破

1．目的

1－1　目的

　日本の地産地消政策を考える上でも，環境保全を考える上でも日本林業の持続的かつ健全な発展は重要である。しかし，現状の林業はそれを達成できる構造となっていない。日本林業は，国民経済の中で他の産業と影響を及ぼしあう度合いが少なく，閉鎖的である。本章は，日本の林業の閉鎖性がさらなる閉鎖性を呼び込むことにより，より一層国民経済とのかかわりが薄れて行くことに対する解決の提示をテーマとする。

　産業が閉鎖的であることは，競争原理が働かず，経営能力の低下に繋がる可能性がある。経営能力の低下は，施業の低コスト化への意識の低下や，新しい技術の取入れ意欲の低下につながり，日本林業の健全な発展の弊害となろう。経営機能を高めるためにも，国民経済全体の中で，国民経済と影響を及ぼしあう林業の構造へ改革していくことが必要である。

　日本林業の現状の課題とその解決方法を研究するため，第2章では，1996年から2011年までの林業と「その他部門」からなる2×2の産業連関表を作成した。本章では，その産業連関表を用いて，林業の影響力係数，感応度係数を計算する。前者は，当該産業の最終需要の増加が他産業へどれだけ影響を及ぼすか，後者は他産業の最終需要の増加が当該産業にどれだけ影響を及ぼすかの指標である。縦軸に感応度係数，横軸に影響力係数，そして縦軸を（0．0）から（2．0），横軸も（0．0）から（2．0）をとり，原点を（1．1）とした座標に，計算した両係数をプロットした。第1象限は，他の産業への影響も大

きいし，他から受ける影響も大きいという部分，そして第3象限は，他からも
影響を受けないし，他へも影響を及ぼさないという部分である。本章の結果と
して，ここで計算した日本林業の影響力係数，感応度係数は，ほぼ第3象限に
位置し，国民経済から林業が独立し，閉鎖的になっているということが証明さ
れた。

　次に，第2章の結果を，この分析に応用し，利潤最大化での日本林業の影響
力係数，感応度係数を計算した。その結果，実際の数値よりもより小さくなり，
第3象限の奥深いところに位置した。つまり，現状で利潤最大化を達成させよ
うとすると，他の産業への壁を高くする生産を行わなければならない。最適生
産を達成するということは，生産を抑制し，縮小均衡を目指すことを意味し，
日本林業はより一層他の産業に対して閉鎖的になってしまう。

　日本林業が目指すべきことは，第3象限から脱し，第1象限に両係数が位置す
るようになることである。それによって，日本経済の動きに影響を与えたり，
多くの影響を受け，林業が活性化される。日本経済のおける林業の重要性が増
し，優れた人材が集まるようになるからである。

　本章では，林業が第1象限に移る具体的方法を論じながら，日本林業が，影
響力係数，感応度係数を高めるよう，生産構造改革をしていくべきことを説く。

1－2　先行研究

　本章の先行研究をあげる。

　前述の山本伸幸（2007）がオーストリアと日本の林業比較において，産業連
関分析での影響力係数，感応度係数を計算している。両国のそれらの係数を比
較し，経済における役割の軽重を論じるという貴重な分析であった。

　この論文は本稿の先行研究であり，方向性でもある。本章は，これらの研究
成果を基に，新たに時系列での影響力係数，感応度係数について研究を行った
ものである。林業の閉鎖性を的確にデータに表わし，その解決方向を示してい
る。

2．林業における最適産出量の計算

2－1　システム－ワイド・アプローチでの計算の活用

　第2章で計算した結果から，投入係数a_{11}，a_{12}，a_{21}，a_{22}を含むパラメータ$a_{11}m_1$，$a_{12}m_2$，$a_{21}m_1$，$a_{22}m_2$に関する基本行列が次式で与えられる。

$$\begin{pmatrix} l_{11} & l_{12} \\ l_{21} & l_{22} \end{pmatrix} = \begin{pmatrix} 1 & 0 \\ 0 & 1 \end{pmatrix} - \begin{pmatrix} a_{11}m_1 & a_{12}m_2 \\ a_{12}m_1 & a_{22}m_2 \end{pmatrix} \tag{3-1}$$

（3－1）式をタイルの逆行列と呼ぶことにする。この式で，m_1，$m_2 = 1$の時，通常の産業連関分析のレオンチェフの逆行列となる。

　第2章の結果から，この行列（3－1）の値は次のようになる[1]。

$$\begin{pmatrix} l_{11} & l_{12} \\ l_{21} & l_{22} \end{pmatrix} = \begin{pmatrix} 0.9740 & -0.0002 \\ -0.1879 & 0.3575 \end{pmatrix}$$

（2－4）式と（3－1）式を組み合わせて，次式を作る。

$$p_1 dz_1 = l_{11}(m)A + l_{12}(m)B$$
$$p_2 dz_2 = l_{21}(m)A + l_{22}(m)B \tag{3-2}$$

行列形式だと次のように書ける。

$$\begin{pmatrix} p_1 & pz_1 \\ p_2 & pz_2 \end{pmatrix} = \begin{pmatrix} l_{11} & l_{12} \\ l_{21} & l_{22} \end{pmatrix} \begin{pmatrix} A \\ B \end{pmatrix}$$
$$= \begin{pmatrix} 0.9740 & -0.0002 \\ -0.1879 & 0.3575 \end{pmatrix} \begin{pmatrix} A \\ B \end{pmatrix} \tag{3-2´}$$

ただし，

---

(1)　生産過剰，生産不足は，需要に対しての尺度ではなく，利潤最大点に対して，生産不足，生産過剰ということである。

$$A = p_1 dq_{1,0} + C_1 \pi_{11}^1 d\ln p_1 + C_1 \pi_{12}^1 d\ln p_2 + C_1 \pi_{1K}^1 d\ln p_K + C_1 \pi_{1L}^1 d\ln p_L$$
$$+ C_2 \pi_{11}^2 d\ln p_1 + C_2 \pi_{12}^2 d\ln p_2 + C_2 \pi_{1K}^2 d\ln p_K + C_2 \pi_{1L}^2 d\ln p_L$$
$$B = p_2 dq_{2,0} + C_1 \pi_{21}^1 d\ln p_1 + C_1 \pi_{22}^1 d\ln p_2 + C_1 \pi_{2K}^1 d\ln p_K + C_1 \pi_{2L}^1 d\ln p_L$$
$$+ C_2 \pi_{21}^2 d\ln p_1 + C_2 \pi_{22}^2 d\ln p_2 + C_2 \pi_{2K}^2 d\ln p_K + C_2 \pi_{2L}^2 d\ln p_L \qquad (3-3)$$

　ここで，AとBのデータは，実際のデータから加工されて得られる値である。このA，Bが，通常の産業連関分析の最終需要にあたる。A，Bの値の変化で，林業の生産量の変化分dz_1や，「その他部門」の生産量の変化分dz_2が決まってくる。

2－2　林業の最適生産額（の変化分）

　さて，前節で，システム－ワイド・アプローチの産業連関分析にかかわるパラメータの値が求まった。それらを使って，（3－2）´式より，利潤を最大化させる林業の生産額の増加分を計算し，それを実際の林業産出額データと比較し，その乖離を計算してみる。その結果が図3－1である。2005年価格の実質値であり，単位は百万円である。ダミー変数を使わなかったため，リーマンショック後の2009年と東日本大震災の2011年に異常値が検出されているので，今回はその分析の対象から外す。

図3-1　林業の最適生産額，および「最適生産額と実際の生産額の乖離」

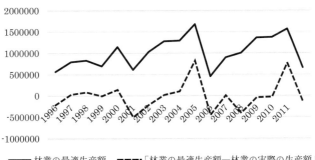

　「林業の最適生産額—林業の実際の生産額」の曲線を見られたい。ほぼ，ゼロを下回っている。つまり，ほとんどの期間，生産過剰が発生しているということになる。通常経済学では，利潤最大化を善とする。しかし，ここでの利潤最大化という条件は，現在の生産構造の中での最大化に過ぎず，それに生産量を合わせると，図 3 − 1 のように，生産過剰が多々あり，生産を縮小させなければならなくなってしまう。生産（特に間伐）を増やしたほうが，日本の森林は保全されるとも考えられている。このように，現状では，日本の林業は，利潤最大化と生産量の拡大が両立しない，不安定な構造にあるといわざるを得ない。

3．林業の影響力係数と感応度係数の計算

3 − 1　林業の実際のデータからの影響力係数と感応度係数の計算

1）林業の影響力係数と感応度係数の計算結果

　第 2 章にて，林業と「その他部門」の 2 つからなる 2 × 2 の産業連関表について，延長表を含めて1995年から2011年までの17表を作成した。その産業連関表のデータからの各投入係数の値に基づき，林業と「その他部門」のそれぞれの影響力係数，感応度係数を計算した。ただし，2002年のすべて，2010年の林業感応度係数に異常値が発生したので前後の平均として補正した。その結果が折れ線グラフの図 3 - 2 である。

46

図3-2　影響力係数と感応度係数の実際値

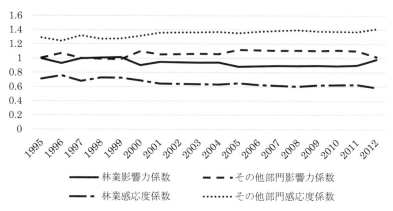

この折れ線グラフで時系列の傾向がわかる。2002年に林業と「その他部門」の感応度係数の入れ替わりがあるだけで，ほぼ一定の値をとっている。

次に，図3-3では，縦軸に林業感応度係数，横軸に林業影響力係数，そして縦軸を（0.0）から（2.0），横軸も（0.0）から（2.0）をとり，原点を（1.1）とした座標に，計算した両係数をプロットした。

影響力係数は，林業の最終需要が増えたときの経済全体への影響力ということである。感応度係数は，（各産業一律の）最終需要の増加に対しての林業の生産額増加の割合である。林業の感応度係数は，1を超えているケースもある

図3-3　日本の林業の位置づけ（第3象限）

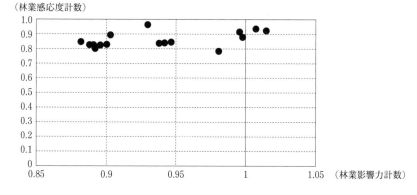

が，両係数とも１以下がほとんどである。

　点（１．１）を原点としたとき，実際に計算した影響力係数と感応度係数は，第３象限に集まっている。第３象限に集まるということは，国民経済との関連が薄いことを意味している[2]。つまり，これらの結果は，日本の国民経済の中で，林業の重要性が低いことを示している。林業の需要が増えても他の産業への影響は少なく，他産業の需要が増えても日本林業がそれに応じて栄えることもない。これは山本（2007）の結果と一致し，日本の林業が閉鎖的であることの証明である。

２）システム－ワイド・アプローチで計算した最適化の時の影響力係数と感応度係数の計算

　第２章で推定したシステム－ワイド・アプローチ式の結果から，利潤最大化をもたらす投入係数の値を計算した[3]。投入係数行列は次の表である。

a_{11}	a_{12}
a_{21}	a_{22}

前章で求めた，これらの値は次のものである。

　$a_{11}=0.0430$　　　　　$a_{12}=0.0001$

　$a_{21}=0.3108$　　　　　$a_{22}=0.4638$

これらが，最適投入係数である。これらの最適投入係数のレオンチェフ逆行列を計算すると次のようになる。

1.0450	0.0002
0.6057	1.8651

---

(2)　各象限の意味（山本(2007)）
　　　第１象限　産業全体に及ぼす影響力が強く，産業全体からの影響を受けやすい
　　　第２象限　産業全体に及ぼす影響力は弱いが，産業全体からの影響を受けやすい
　　　第３象限　国内のどの産業とも連関が弱い
　　　第４象限　産業全体に及ぼす影響力は強いが，産業全体からの影響を受けにくい
(3)　Mizuno,K. Doi,T Omata,J Ando,S and G.Igusa（2016）にて計算を行った。

48

レオンチェフの逆行列の場合，最終需要が増えたときの各産業の生産増額が示されている。林業の需要が増えると林業の生産額は増えるが（1.0450），他産業の需要が増えても林業の生産額はほぼ増えない（0.0002）。このことからも，林業が閉ざされた産業であることがわかる。

以上の結果を使って，利潤を最大化させる最適な影響力係数と感応度係数を計算してみよう。

表3-1　最適な影響力係数と感応度係数

	林業	その他部門
影響力係数	0.9389	1.0610
感応度係数	0.5945	1.4054

先ほどの図3-2の解釈においても，やはり林業は最適な両係数とも1以下であり，閉鎖的であるといえる。それに対して，「その他部門」は両係数とも1以上であり，産業全体に及ぼす影響力があると同時に，産業全体からの影響も受けやすい。1を標準とするならば，林業はそれを下回ってしまっている。

図3-4では，これらと，実際の値を第3象限にプロットした。図中の三角の点が利潤最大化を実現する林業の最適影響力係数と最適感応度係数である。

現実の数値のほうが第3象限の際にあり，最適値のほうが第3象限に奥深く

図3-4　最適影響力係数と最適感応度係数

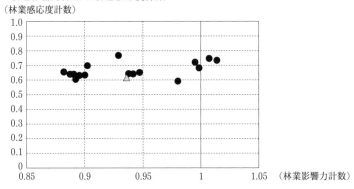

ある。これによれば，林業が利潤を高めるためには，もっと生産を縮小しなければならないということになってしまっている。

4．利潤最大化の各係数と現実の係数との乖離

4－1　数値

　次に，林業の影響力係数，感応度係数について，利潤最大化の両係数の値と現実の値の乖離を計算し，その結果を図3-5に示した。

図3-5　利潤最大化時の係数と現実の係数との乖離

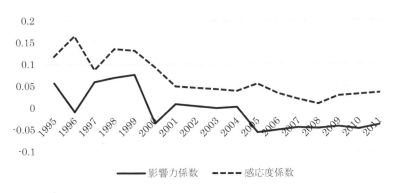

「現実値－最適値」
　＋：上回っている（過剰）
　－：下回っている（不十分）

ここでの乖離の数値は次の通りである。

1）影響力係数

　1990年代後半は，約5から7％程度，現実値が最適値を上回っており，林業の他産業への影響力が利潤最大化のための値より大きかったといえる。それに対して，2000年以降は約5％程度，現実値が最適値を下回っており，生産の効率性が良くなかったと言える。

２）感応度係数

感応度係数に関しては，常にプラスである。「その他部門」の最終需要に対して，林業では，利潤最大化達成時よりも，現実のほうがより大きく反応しているといえる。つまり，現実値のほうが経済学の最適点より，我々が設定した目標である，図３−３の第１象限に近いことになる。

４−２　解釈

図３-４と図３-５の数値の衝撃的な事実は，林業が最適生産を行うためには，より一層閉鎖性を促進すべきだということを示していることである。図３-４において，最適点を達成することは，縮小均衡を意味する。図３-１にもある生産過剰状態もこのことを物語っている。これに従えば，林業が最適な生産を行い，効率的な経営を行うためには，縮小均衡であるべきだという結論になってしまう恐れがある。

今回の分析の特徴は，最適な値を超えていればよい，それを下回っていればよいという，経済学の通常の解釈ではない。経済学でいう最適値はあくまでその産業の利潤最大化のための目安に過ぎず，現状で最も費用がかからない手段というだけの話であり，逆に現状でのその達成が将来の林業にとって必ずしも望ましいわけではない。本書では，そうした林業の縮小均衡を否定したい。今回，本書が掲げる望ましい生産構造とは，国民経済から独立してしまっているといっても過言ではない第３象限の状態から抜け出し，国民経済内で重要な役割を果たす第１象限を目指す構造を創出することである。

現状の利潤最大化の実現では，技術革新に乏しい構造での生産を続けていくことになりかねない。第１象限に移るということは，利潤最大化での両係数がそこに位置することができるよう，生産を増やし，拡大均衡を達成しなければならない。それには，他産業との取引を増やすような，閉鎖性の打破が必要である。

閉鎖性の問題を解決するにあたり，逆に利潤最大化時の影響力係数，感応度係数を引き上げること，つまり他産業とより強い連携の構築を考えなければな

らない。両係数の利潤最大時の最適値を引きあげ，第3象限を飛び出すことが最も重要なことである。それによって，林業を開放的な産業に近づけることができる。

4-3　林業の影響力係数，感応度係数を引き上げる方策

　それでは，林業の影響力係数，感応度係数を引き上げる具体的な方策は何であろうか。ここではそれについて論じる。

1）他産業の需要が林業の生産を引き上げるケース

　日本では，2016年4月より電力自由化が始まった。化石燃料や原子力での発電を行う会社を回避し，バイオマス発電などの自然エネルギーの発電を選択する風潮が強くなってきた。バイオマス発電を日本政府は強力に促進し始めた。費用がかかる間伐作業が怠られる傾向があるため，建築材や家具材に使える太い木が減り，木が混みあって細い木が多くなり，その使い道が狭まっていた。その増える細い木は木質バイオマスとなりうる。電力需要の増加が，林業生産に好影響を及ぼすことになろう。

　日本では，2010年「公共建築物等における木材の利用の促進に関する法律」により，公共建築物について，一定の基準を満たすものは木造化することができるという基準ができた。それによって，地方の公共施設が木造で建築される例が増えてきている。これこそ，政府の最終需要増の，林業への直接的な波及効果となろう。

　林業の持つ外部効果を経済の循環に取り入れることも有力な手段である。外国観光客を受け入れ，観光・レクリエーション業が充実してきた。観光は都会から地方に回ってきた。景観を維持するには，林業によるさらなる森林整備が必要になる。その森林整備による景観の向上は，さらなる観光客を呼び込むという好循環を生むであろう。観光業の最終需要の増加が，林業の産出額を増やす構造変化である。

52

2）林業の需要が他産業を引き上げるケース

表3-2　林業最終需要

家計外消費支出 (列)	民間消費支出	一般政府消費支出	一般政府消費支出（社会資本等減耗分）	国内総固定資本形成（公的）	国内総固定資本形成（民間）	在庫純増	調整項	国内最終需要計	輸出
3167	157755	0	0	0	0	268001	103	429026	2065

出所：総務省産業連関表2011年　単位：百万円

　表3-2は，2011年産業連関表から林業最終需要部分を切り取って加工したものである。林業の国内最終需要については，民間消費支出，在庫増，国外需要については輸出があげられる。このうち，消費に関しては，キノコの需要が大半となっている。そこで，注目すべきは，在庫純増と輸出である。

　在庫純増には，立木の成長分も含まれる。成長した部分を金銭換算したものである。ということは，数字の上では立木の成長に手をかけることが他産業への波及を大きくすることにつながる。森林の環境保護のために手をかけることこそ林業の日本の産業の中での立ち位置に重要性を持たせることにつながることがわかった。

　輸出では，日本の製品の良さをアピールして，需要を増やす努力を行う必要がある。国産材の輸出が増えれば，運輸や商社など輸出関連産業への波及も増えるであろう。

5．総括

　本章では，林業が国民経済の中で閉鎖的になり，縮小均衡になるのを防ぐべきだと論じた。

　まず，影響力係数が低いことに関する一つの背景として，長らく低迷してい

た国産材市場の影響も無視することができないことがあげられる。2002年以降，国産材は徐々に供給量を増やしてきているものの，外材の輸入量は依然として多い。国産材自給率は上昇傾向ではあるが，木材供給量のシェアの過半数を輸入製品・輸入丸太に奪われており，外材依存の傾向は続いている[4]。その結果，木材への最終需要が増えても，それは外材に向かってしまい，国内の各産業を刺激する作用が小さくなってしまっている。本章の分析では，そのほうが林業の生産の最適化が図れているという皮肉な結果になっている。外材との競争に負けない日本林業を構築し，現状の縮小均衡に近い状態から脱却し，生産増加によって拡大均衡状態での最適化が達成できるような構造に変えることが必要である。

次に，感応度係数に関する一つの背景として，日本は産業の集中している都市圏とそうでない地方圏に二極化し，林業は後者に属していることがあげられる。林業は，もともと産業の少ない地域に基盤を置く業種であるため，他産業と連携する機会も少なく，閉鎖性の問題を必然的に内包していた。ここで計算した感応度係数のように，中央の景気の林業への影響が小さくなってしまっている。これを大きくする林業の生産構造の構築，国民経済の構造の構築が必要となる。

閉鎖性や縮小均衡の打破について一般論を述べることはたやすいが，数値的に明らかにした先行研究はほとんど見られなかった。本章は，産業連関分析において影響力係数，感応度係数を計測した。経済理論における利潤最大化の両係数と実際値を比較することにより，逆に利潤最大化の生産が示している今の構造が，日本の林業を縮小均衡に追い詰めてしまっていることを明らかにした。本章の結論は，日本の林業が日本経済で重要な位置を占める存在になるには，利潤最大の最適生産を実現するにあたって，図3－2の第1象限に，影響力係

---

(4)　農林水産省（2015）「平成26年度　森林・林業白書，第一章 森林資源の循環利用を担う木材産業，2. 木材需給の変遷と木材産業の対応，(3)需要減少期（平成8 (1996)年頃～），(ア) 需要減少期の木材需給，図（木材供給量（国産材・輸入丸太・輸入製品別）の推移）
http://www.rinya.maff.go.jp/j/kikaku/hakusyo/26hakusyo/pdf/3gai1.pdf

数，感応度係数が来るような生産構造に変えていくべきだということである。これを解決するには，今述べたように，第1に，外材に打ち勝てる生産構造にすること，第2に日本の産業の都市圏と地方の2分化を改革し，経済の影響を相互に受けやすくすることなどが不可欠な要素としてあげられる。第1章において，技術進歩の必要性を論じた。技術進歩にはより一層の他産業との交流が不可欠となる。技術進歩の取入れなどが，林業の閉鎖性を打破し，縮小均衡でなく拡大均衡に至る，一つの重要な解決策ともいえよう。

第4章　林業の産業間の取引効率化指標

―― 中間取引を考慮したケース ――

1．趣旨と目的

　著者たちは，林業の課題解決モデルを考案し，日本の林業に関する新しい経済モデルとその実証分析を発表した。第2章，第3章では，産業連関表を，林業とその他産業の2つに分類しなおし，2×2の産業連関表を作って分析を行った。投入係数や影響力係数，感応度係数について利潤最大化の条件での最適値を計算し，実際の値と比較することにより，日本の林業の現状に問題があることを述べた。いずれの数値にも問題が見られ，日本の林業の改善の方向を示すことができた。

　しかし，そこでは，2×2の産業連関表の分析のため，分析の範囲が限られていた。日本全体の中での林業の位置づけは解明できたが，他産業との関連までは明確化できなかった。本章では，林業，農業漁業，第2次産業，第3次産業という4部門に分け，4×4の産業連関表を作成した。作成した期間も，2×2の産業連関表が1995－2012年だったのに対して，1990－2012年まで延長した。静学的な分析ではなく，1990－2012年の23年の時系列データでの分析とする。

　オリジナルな手法として，産業連関表の最適投入係数（利潤最大化をもたらす投入係数）を計算し，それが実際の投入係数とどれだけ違うかを計算したあと，その差の割合を，産業の中間取引の効率性の測定指標と定義した。本章の目的は，林業についてのその指標を計測することにより，林業が他の産業と関係を深めるべきか，薄めるべきかを判断することである。

2．林業の産業連関分析—4部門のケース—

2−1　4×4の産業連関表の作成

　山本伸幸（2007）の静学的な分析に対して本章では動学的な分析を行うため，時系列データを準備した。1990年から2012年までの4×4の産業連関表を作成した[1]。1990年，1995年，2000年，2005年，2011年の各産業連関表と，その間の延長表を活用した。林業以外については，農業・漁業，第2次産業（鉱工業・建設業），第3次産業（含分類不明）を集計した。H.Theil（1980b）において，縦の合計と横の合計がCとzで区別されていたため，縦の合計は費用の合計としての名目値，横の合計を生産数量として実質値ととらえて記載した。

　q_{11}・・・・q_{44}：中間生産物

　$q_{1\cdot 0}$・・・・$q_{4,0}$：最終生産物

　z_1・・・・z_4：国内総生産額

　K_1・・・・K_4：資本ストック

　L_1・・・・L_4：労働

　C_1・・・・C_4：名目総生産額＝費用

---

[1]　参考に2011年の産業連関表を掲示した。名目値である。

百万円

	農業・漁業	林業	第2次産業	第3次産業	内生部門計	最終需要部門計	国内生産額
農業・漁業	1,365,633	2,512	7,531,150	1,310,346	10,209,641	1,050,575	11,260,216
林業	1,537	86,929	319,478	63,421	471,365	304,381	775,746
第2次産業	2,798,433	72,446	161,575,047	61,684,128	226,130,054	115,715,740	341,845,794
第3次産業	1,774,958	95,143	65,809,115	149,346,657	217,025,873	345,816,514	562,842,387
内生部門計	5,940,561	257,030	235,234,790	212,404,552	453,836,933	462,887,210	916,724,143
粗付加価値部門計	5,319,655	518,716	106,611,004	350,437,835	462,887,210	0	462,887,210
国内生産額	11,260,216	775,746	341,845,794	562,842,387	916,724,143	462,887,210	1,379,611,353

表 4 - 1

	農業・漁業	林業	第 2 次産業	第 3 次産業	最終需要	国内総生産額
農業・漁業	q_{11}	q_{12}	q_{13}	q_{14}	$q_{1,0}$	z_1
林業	q_{21}	q_{22}	q_{23}	q_{24}	$q_{2,0}$	z_2
第 2 次産業	q_{31}	q_{32}	q_{33}	q_{34}	$q_{3,0}$	z_3
第 3 次産業	q_{41}	q_{42}	q_{43}	q_{44}	$q_{4,0}$	z_4
K資本	K_1	K_2	K_3	K_4		
L労働	L_1	L_2	L_3	L_4		
国内総生産額	名目でC_1	名目でC_2	名目でC_3	名目でC_4		

2－2　システム－ワイド・アプローチでの計算

　第 2 章での 2 × 2 の産業連関表を 4 × 4 に拡張して，その理論を展開する。

　Theil, H.（1980b）に従って，利潤最大化によって，産業連関表に合わせたシステム－ワイド・アプローチの投入需要方程式を 4 × 4 のケースで示す。中間生産物の需要について，生産関数に相似拡大を仮定したとき（ 4 － 1 ）式は生産量，各中間生産物価格で説明した式である。各変数は変化分形，変化率形となっている。林業についてのみ，分析対象とする[2]。

$$p_1 dq_{12} = a_{12}\gamma_2 p_2 dz_2 + C_2\pi_{11}^2 dlnp_1 + C_2\pi_{12}^2 dlnp_2 + C_2\pi_{13}^2 dlnp_3 + C_2\pi_{14}^2 dlnp_4$$
$$p_2 dq_{22} = a_{22}\gamma_2 p_2 dz_2 + C_2\pi_{21}^2 dlnp_1 + C_2\pi_{22}^2 dlnp_2 + C_2\pi_{23}^2 dlnp_3 + C_2\pi_{24}^2 dlnp_4$$
$$p_3 dq_{32} = a_{32}\gamma_2 p_2 dz_2 + C_2\pi_{31}^2 dlnp_1 + C_2\pi_{32}^2 dlnp_2 + C_2\pi_{33}^2 dlnp_{13} + C_2\pi_{34}^2 dlnp_2$$
$$p_4 dq_{42} = a_{42}\gamma_2 p_2 dz_2 + C_2\pi_{41}^2 dlnp_1 + C_2\pi_{42}^2 dlnp_2 + C_2\pi_{43}^2 dlnp_3 + C_2\pi_{44}^2 dlnp_4$$

$$(4 - 1)$$

　各変数は，表 4 - 1 の変数に対応している。第 1 財が農業・漁業，第 2 財が林業，第 3 財が第 2 次産業，第 4 財が第 3 次産業を指し，林業以外にも各財について 4 つの方程式が存在する。また，本来ならばTheil（1980b）に従って（ 4 － 1 ）式右辺に付加価値の価格変化も変数として加えるべきなのであるが，

---

(2)　Theil, H.（1980b）では，資本価格や労働価格など付加価値項目の価格も入れている。ここでは，スルツキーの対称性が成り立つ中間生産物の価格のみ使用している。

付加価値部分の価格は一定と仮定し，ここでは影響しないものとした。

　q_{12}，q_{22}，q_{32}，q_{42}は，表３の林業の列の投入数量，つまり他産業から林業への投入数量を表す。そして，p_1，p_2，p_3，p_4はそれぞれ各財（産業）の価格である[3]。π_{11}，π_{12}，π_{13}，π_{14}，π_{21}，π_{22}，π_{23}，π_{24}，π_{31}，π_{32}，π_{33}，π_{34}，π_{41}，π_{42}，π_{43}，π_{44}は代替パラメータ（スルツキー係数）であり，πの右肩の数字はべき乗ではなく，農業・漁業，林業，第２次産業，第３次産業を表す。その右肩の数の２は林業を表す。z_2は林業の生産量を示す。独立変数が生産量$p_2 dz_2$と各財価格$C_2 d\ln p_1$，$\cdots$，$C_2 d\ln p_4$，従属変数が林業への投入量$p_1 dq_{12}$，$p_2 dq_{22}$，$p_3 dq_{32}$，$p_4 dq_{42}$である。$\ln$は自然対数であり，a_{11}，a_{12}，a_{13}，a_{14}，a_{21}，a_{22}，a_{23}，a_{24}，a_{31}，a_{32}，a_{33}，a_{34}，a_{41}，a_{42}，a_{43}，a_{44}は限界シェアである[4]。これらは生産関数に相似拡大を仮定したとき，投入係数となる。

　（４−１）式のパラメータについて，制約付３段階最小２乗法で推定した。制約は，スルツキーの対称性である。1991年〜2012年の期間である。

　推定結果は表４-２のとおりである。決定係数，ｔ値は補論２に掲載した。

---

(3)　各財の価格データ

　p_1：農業漁業価格

　　農水産物価格

　　日銀HPで検索2005＝100

　p_2：林業価格

　　林野庁HPのヒノキ，スギ，カラマツのデータから筆者が作成。ラスパイレス方式。ただし，2010年価格で計算した結果を2005年価格に再計算した。

　　林野庁HP

　　http://www.rinya.maff.go.jp/j/kikaku/hakusyo/25hakusyo_h/all/a48.html

　p_3：第２次産業価格

　　投入（製造業総合部門）/製造業総合　2005＝100

　　日銀HP

　p_4：第３次産業価格

　　企業向けサービス価格指数平均　2005＝100

　　日銀HP

　資本の価格については，国債新発債流通利回 10年。財務省HP金利情報　年末値。

　労働の価格については実質賃金指数。

　毎月勤労統計調査（MONTHLY LABOUR SURVEY）2005＝100

　2010年以降：事業所規模30人以上現金給与総額賃金率2010-2012年を2005年＝100で計算

(4)　相似拡大的な生産関数のときだけ，これらが投入係数になる。Theil, H.（1980b），p.78。

表 4 - 2　パラメータ推定値

	生産量	農業価格	林業価格	2 次産業価格	3 次産業価格
q_{12}の式	0.0181	-0.2558	0.0443	-0.2915	0.0339
q_{22}の式	0.0662	0.0443	0.2166	0.1171	0.1218
q_{32}の式	0.0658	-0.2915	0.1171	-0.4274	-0.1100
q_{42}の式	0.0975	0.0339	0.1218	-0.1100	-0.2397

2 － 3　最適投入係数の計算

　生産関数に相似拡大を仮定して論を進める。実際の産業連関表で，KとLとの明確な区別がなく，KやL等をすべてを足して粗付加価値としている。そこで，第 2 章同様，産業連関表の粗付加価値の値Gを，KとLの合計ととらえて，定義に従い下記の式を作った。$a_{G2}(=a_{K2}+a_{L2})$ は縦の林業の粗付加価値の投入係数とする。第 2 章と同様な展開とする。

$$(K_2+L_2)\text{の実質値}=a_{G2}z_2 \qquad (4-2)$$

を推定した。それによって，a_{G2}の推定値が求まった。

$$(K_2+L_2)\text{の実質値}=0.6426z_2$$
$$(35.2674)$$
$$R^2=0.9826 \qquad s=82262.33 \qquad (4-3)$$

推定期間は1991年—2012年である。その結果，

$$a_{G2}=0.6426$$

を得た。付加価値の投入係数である。

$$a_{12}+a_{22}+a_{32}+a_{42}+a_{K3}+a_{L3}=1 \qquad (4-4)$$

60

なので,

$$a_{12}+a_{22}+a_{32}+a_{42}+0.6426=1$$
$$a_{12}+a_{22}+a_{32}+a_{42}=0.3574 \qquad (4-5)$$

を得る。

また,第1項のパラメータ推定値が

$$a_{12}\gamma_2=0.0181 \qquad (4-6)$$
$$a_{22}\gamma_2=0.0662$$
$$a_{32}\gamma_2=0.0658$$
$$a_{42}\gamma_2=0.0975$$

である。よって,γ_2について次の値を得る。

$$\gamma_2=0.6927 \qquad (4-7)$$

第2章の林業の値とほぼ等しい。逆数は1を超えるので,林業が規模に関して収穫逓増であることがここでも証明できた。

よって,(4-6)式と(4-7)式より,利潤最大時の投入係数が計算できる。

表4-3 最適投入係数

a_{12}	0.0261
a_{22}	0.0955
a_{32}	0.0949
a_{42}	0.1407

システム-ワイド・アプローチは利潤最大化の下での展開なので,表4-3の投入係数は最適投入係数となる。

2-4 産業間の取引効率性測定比率指標

本モデルにおいて新たなオリジナルな指標として産業の効率性測定比率指標

を定義する。それは，産業が利潤最大化の状態からどれだけ離れているかを割合で測った指標である。

　　産業間の取引効率性測定比率指標　e=(a$_{ij}$−最適a$_{ij}$)/最適a$_{ij}$　　（4−8）

最適値であれば，0となる。0より大きければ，利潤最大化をもたらすには中間取引が多すぎ，0より小さければ小さすぎという指標になる。0から離れれば離れるほど，中間取引に効率性を阻害する原因があることを示す。

　　e＞0　　　　　取引が多すぎ
　　e＝0　　　　　最適な状態
　　e＜0　　　　　取引が少なすぎ

　そこで，実際の投入係数も計算した。産業連関表から現実の投入係数も計算した。ただし，すべて2005年価格で実質化したデータを用いて計算した。

　その結果を使って，産業間の取引効率性測定比率指標を計算したのが図4-1である。

図4-1　産業間の取引効率性測定比率指標

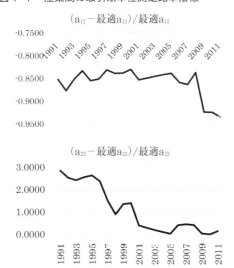

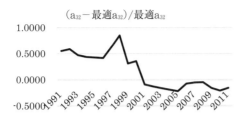

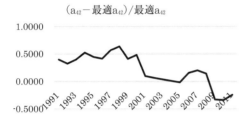

　図 4 - 1 を見ると「農業・漁業→林業」の投入係数a_{12}については，現実値と最適値の差がすべてマイナスである。これは，もう少し農業・漁業と林業とがかかわりを濃くしたほうが林業の利潤を高められることを意味する。農業・漁業と林業は，川の水を介してつながっている。森林の健全化が農業や，漁業を育てる。その意味で，産業同士の関係が強いのは重要なことである。今後，林業の利潤を大きくするのは重要であるが，農林水産業の発展につながるという両立の策を講じる必要がある。

　「林業→林業」の投入係数a_{22}については，当初大きなプラスであり次第にゼロに近づいた。といっても唯一プラスである。林業からの仕入れを少なくしたほうが，林業の利潤が大きくなる。林業での委託は，同じ林業者に頼む傾向がある。機械設備やノウハウがそろっているからである。林業同士の付き合いが，林業の利潤を減らし，林業の発展の妨げになっていた。林業同士の強い結びつきについては再考が必要であろう。

　「第 2 次産業→林業」の投入係数a_{32}については，プラスからマイナスに転じている。2000年までは，林業の利潤最大化にとって，第 2 次産業と取引のしすぎになっていた。しかし，それ以降は，マイナスになることが多い。利潤を

高めるためには第2次産業とより多くの取引をしなければならないことが示唆されている。技術進歩に伴い，ハーベスタなどの最新の林業危機の導入などを進めるべきだという示唆であろう。

　同じく，「第3次産業→林業」の投入係数a_{42}については，この差が2001年以降マイナスになっている。林業の利潤の少ないことに関して，第3次産業との取引の少なさが一つの要因になっている。委託にしても，林業同士に頼るだけでなく，非営利団体に頼るのも利潤をあげるひとつの手段であろう。

　総じていえば，近年においては，林業が利潤を高めるためには，林業以外の他産業とのつながりが足りないことを改善する必要があるということになる。

3．総括

　林業の閉鎖性の打破については，第2章，第3章で提唱した。しかしその際は，林業部門を独立させただけの2×2の産業連関表を基にして，最適投入係数と実際の投入係数の差異を計算しての提唱であった。本章は，最適投入係数と実際の投入係数の差異の割合を新たな中間取引の効率性測定指標として提案した。その数値によって，林業と第1次産業，第2次産業，第3次産業のそれぞれとの取引関係を示すことができ，第2章，第3章と同様，林業の閉鎖性を明らかにすることができた。4×4の産業連関表を使うメリットは，どの部門との取引を増やせばよいかをより細かく明示できることであった。今回は，どことの取引が少ないか，それをどうするべきかまで明示できた。具体的には，林業が利潤をもっと増やすためには，農業・漁業，第2次産業，第3次産業との取引が少ないということが言えた。林業同士の取引に頼るのではなく，それを減らし，第3次産業との取引を増やすべきだという結論となった。この内容は，まさに林業の閉鎖性の打破の必要性に他ならない。第2章，第3章と同じ結論を得た。

　今後は部門数を増やした産業連関表で，応用の分析を行う必要がある。個々の部門と林業との取引が，林業の利潤最大化のためには過多か過小かをより詳

64

細に分析する必要があるであろう。今後の課題である。

補論1　データの作り方

　本章では，総務省ホームページ（http://www.meti.go.jp/statistics/tyo/entyoio/）の産業連関表，および延長表から，4部門の産業連関表を作成した。

1）4×4の産業連関表　1990-2000年，2004年-2012年

　各年の産業連関表延長表において，林業では，育林，素材，特用林産物を足して計算した。農業漁業については，農林水産業項目から林業を引いた。2次産業については，鉱工業・建設とした。3次産業には発電，分類不明を含めた。そのような統合を図り，4×4部門の産業連関表を作成した。

2）4×4の産業連関表　2001年-2003年

　この間の産業連関表延長表は，農林水産業がまとめられており，林業の項目がなかった。そのため，2000年と2004年の間については，各産業の産出額関係のデータを3年間で等分して使用した。

3）実質化：上記で計算された産業連関表のデータに関して，2005年価格で実質化した。計算には，実質値が使われている。

補論2

決定係数

q_{12}の式	0.1019
q_{22}の式	0.1353
q_{32}の式	0.1768
q_{42}の式	0.3891

標準偏差

	生産量	農業価格	林業価格	2 次産業価格	3 次産業価格
q_{12}の式	0.0397	0.1867	0.1122	0.1449	0.1273
q_{22}の式	0.0511	0.1122	0.1534	0.1389	0.0790
q_{32}の式	0.0508	0.1449	0.1389	0.1836	0.1015
q_{42}の式	0.0272	0.1274	0.0790	0.1015	0.2000

第5章　日本の樹種のマーケティング分析
── 木材の多目的化の必要性 ──

1．目的

　林業の必要性は，木材供給だけに限らず，環境改善により公益的機能と呼ばれる外部経済を発生させることにもある。そのような重要産業にもかかわらず，日本林業が成長産業であるという話はあまり聞かない。

　本章の目的は，日本林業の現状を消費面の新たな視点で分析し，国産材の新規需要の創出の必要性，および社会全体の余剰拡大の重要性までを提唱していくことにある。オリジナルなモデルとして，H.Theil（1980b）のシステム－ワイド・アプローチの質の指数を日本の経済分析に取り入れた点である。

　まず，樹種の集中度，つまり寡占度の進展を測ってみる。スギ，ヒノキ，マツの3種類の針葉樹について寡占度の推移を測り，木材の需要の流れをつかむことにする。ハーフィンダール・ハーシュマン・インデックスHを計測する。

　第2のステップとして，木材需要が嗜好品化しているのか，必需品化しているのかを測る。Theil,H.（1980b）の質の指数で計測する。これらの分析を通して，国産材の需要における位置づけを明らかにする。

　そして第3のステップとして，スギ，ヒノキ，マツの中でシェアの動きがないマツに注目し，マツの嗜好品的な新たな使い方を提唱する。

　現在，日本における木材需要の大半は住宅建設などに使用される建築用製材になる。確かに，建築用材は木材としての価格も高いため，付加価値が高く，林業産出額の増額に大きく貢献することができる。しかし，建築用材としての国産材は外材と比較して性能面で優位に立つことができず，差別化を図ることが難しい。つまり，木材需要を建築用材に頼りすぎてしまうと，価格や安定供

給，性能面などで勝っている外材に押されてしまい，安定的に確立させることができない。この章では，建築用材を柱に木材需要を立て直すような，木材を必需品化させる方法のみで需要確立を目指したならば，性能面や価格面で勝る他の材料に負けてしまうという問題を指摘したい。それを前提に，国産材だけが持ち得る，新たな需要可能性を模索し，開拓する努力を促したい。

ハーフィンダール・ハーシュマン・インデックスH をシステム－ワイド・アプローチに結びつけたのは，Theil, H.（1980b）である。両者の理論をリンクさせ，食肉3財についての分析を行った。しかし，全体のパラメータであったはずの指標が，個別の肉同士で計算されるなどの矛盾も含んでいた。ここでは，理論面では両者を切り離し，論理面で両者の数字を活用して樹種分析を行う。

2．市場の分析
―寡占度をハーフィンダール・ハーシュマン・インデックスHで計測―

ハーフィンダール・ハーシュマン・インデックスHは市場の集中度を測る指標である。特定のブランドに集中してしまっている市場か，そうではないかがこの指標によって判明する。

$$H = \alpha_1{}^2 + \alpha_2{}^2 + \alpha_3{}^2 \qquad\qquad (5-1)$$

α_1，α_2，α_3は，スギ，ヒノキ，マツのシェアを表す。この値が大きければ大きいほど，市場の集中度が大きいということになる。1976年から2013年までのHを計算した。

図5-1　ハーフィンダール・ハーシュマン・インデックスH

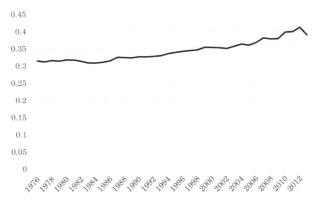

　1976年から2013年までの約40年間にわたってのデータである。1976年時には，Hは0.3に近かったが，2012年には0.4を超えている。Hが上昇しているので，集中化，つまり寡占化が徐々に進んでいってしまったことになる。表5-1で各樹種のシェアの変化を見ると，40年前と比べて，スギが15％増えているのに対して，ヒノキがその分を減らしている。マツのシェアはほぼ横ばいである。

　では，なぜスギのシェアが伸び，ヒノキのシェアが落ちたのだろうか。その理由として，前述のように，まず木材需要の多くが建築用製材に傾いていることが挙げられる。建築用製材と一言にしても，様々な種類があり，用途ごとに適合する樹種も異なる。近年になり，集成材ラミナや針葉樹合板が需要を伸ばしており，特に針葉樹厚物合板の原料として国産のスギが注目されている。また，立花敏の研究（2003年）によると，スギはヒノキや他の針葉樹と比較して供給面では価格の弾力性が大きく，需要面では外材（米ツガ）の価格上昇に敏感に反応し，需要を伸ばすという結果が指摘されている。国産スギの用途拡大に加え，国産材価格の下落，相対的な外材価格の上昇が，スギのシェアを伸ばすことに繋がったと想定される。

　現在，木材のメインはスギに限定されている結果となっており，他の樹種をその他の目的に使用する道はほとんど開かれていない。

表 5-1　シェアの変化

	スギ	ヒノキ	マツ
1976	0.4019	0.3283	0.2159
2013	0.5562	0.1946	0.1980

3. 3財の消費需要経済モデル―システム－ワイド・アプローチ―

　第 2 章から第 4 章の生産理論とは異なり，システム－ワイド・アプローチの消費理論をもとに経済モデルを展開する。その理論は各財の需要方程式としてあらわされる。まず需要方程式は，微分形需要方程式の相対価格式で次のように表される。左辺の各財の需要量を表すのに，右辺第 1 項の所得を表す項，右辺第 2 項以下の価格を表す項からなっている。 2 財の場合の（ 1 －11）式に対して， 3 財のケースでは，次の 3 本の連立方程式が成り立つ。

$$w_1 d\ln q_1 = \theta_1 d\ln Q + \Phi \theta_{11} d\ln\frac{p_1}{p_F} + \Phi \theta_{12} d\ln\frac{p_2}{p_F} + \Phi \theta_{13} d\ln\frac{p_3}{p_F}$$

$$w_2 d\ln q_2 = \theta_2 d\ln Q + \Phi \theta_{21} d\ln\frac{p_1}{p_F} + \Phi \theta_{22} d\ln\frac{p_2}{p_F} + \Phi \theta_{23} d\ln\frac{p_3}{p_F}$$

$$w_n d\ln q_3 = \theta_3 d\ln Q + \Phi \theta_{31} d\ln\frac{p_1}{p_F} + \Phi \theta_{32} d\ln\frac{p_2}{p_F} + \Phi \theta_{33} d\ln\frac{p_3}{p_F} \qquad (5-2)$$

　　q_1：スギ数量，q_2：ヒノキ数量，q_3：マツ数量，

　　p_1：スギ価格，p_2：ヒノキ価格，p_3：マツ価格

（ 5 － 2 ）式において，$d\ln p_F = \theta_1 d\ln p_1 + \theta_2 d\ln p_2 + \theta_3 d\ln p_3$はフリッシュ価格指数，$d\ln Q$はディビジア数量指数であり，$d\ln Q = w_1 d\ln q_1 + w_2 d\ln q_2 + w_3 d\ln q_3$で表される。また，$\Phi$は所得の伸縮性である。ここで，$w_i$（i=1, 2, 3）は，予算シェア（予算に占める各財のシェア），θ_{ij}（i=1, 2, 3, j=1, 2, 3）は限界シェア（予算が増えたときにそれに応じて各財のシェアがどれだけ増えるか

の割合）を表す。各制約として，次のように，足すと1になることがあげられる。

$$w_1 + w_2 + w_3 = 1 \qquad (5-3)$$

$$\theta_1 + \theta_2 + \theta_3 = 1 \qquad (5-4)$$

実際の推定は，以下の絶対価格式で行う。（5－2）式は（5－5）式のように書き換えられる[1]。

$$w_1 d\ln q_1 = \theta_1 d\ln Q + \pi_{11} d\ln p_1 + \pi_{12} d\ln p_2 + \pi_{13} d\ln p_3$$

$$w^2 d\ln q_2 = \theta_2 d\ln Q + \pi_{21} d\ln p_1 + \pi_{22} d\ln p_2 + \pi_{23} d\ln p_3$$

$$w_3 d\ln q_3 = \theta_3 d\ln Q + \pi_{31} d\ln p_1 + \pi_{32} d\ln p_2 + \pi_{33} d\ln p_3$$

$$(5-5)$$

ここで，3変数のケースでのスルツキーの対称性を加味する。

$$\pi_{11} + \pi_{12} + \pi_{13} = 0$$

$$\pi_{21} + \pi_{22} + \pi_{23} = 0$$

$$\pi_{31} + \pi_{32} + \pi_{33} = 0 \qquad (5-6)$$

$$\pi_{12} = \pi_{21}$$

$$\pi_{13} = \pi_{31}$$

$$\pi_{23} = \pi_{32} \qquad (5-7)$$

よって，（5－5）式は次式で書き換えられる。

$$w_1 d\ln q_1 = \theta_1 d\ln Q + \pi_{11}(d\ln p_1 - d\ln p_3) + \pi_{12}(d\ln p_2 - d\ln p_3)$$

$$w_2 d\ln q_2 = \theta_2 d\ln Q + \pi_{21}(d\ln p_1 - d\ln p_3) + \pi_{22}(d\ln p_2 - d\ln p_3)$$

$$(5-5)'$$

---

(1)　Theil, H.（1980b）pp.30-31を参照。

4．推定

（5－5)式を，パラメータの対称性（5－7）式を考慮に入れた制約付3段階最小2乗法で推定する[2]。

（5－5)式のスギおよびヒノキの2つの式の推定結果は次の通りである。推定期間は，1976年－2013年である[3]。

決定係数は，第1式が0.8103，第2式が0.7676であった。

表5-2　パラメータ推定値

	ディビジア数量指数	スギ価格	ヒノキ価格	マツ価格（制約条件より計算）
スギ	0.4999	−0.0894	−0.004	0.0934
ヒノキ	0.2899	−0.004	0.0319	−0.0279

表5-2-2　パラメータ推定値（上表より計算）

	ディビジア数量指数	スギ価格	ヒノキ価格	マツ価格（制約条件より計算）
マツ	0.2102	0.0934	−0.0279	0.1447

表5-3　標準誤差

	ディビジア数量指数	スギ価格	ヒノキ価格
スギ	0.0409	0.0594	0.0386
ヒノキ	0.0313	0.0386	0.0318

表5－2から限界シェアについて次の値が得られた。

$\theta_1 = 0.4999$, $\theta_2 = 0.2899$, $\theta_3 = 0.2102$

---

(2)　システム－ワイド・アプローチ式の推定では，一連のTheil, H. の研究において，最尤法や制約付一般化最小2乗法が利用されている。

(3)　樹種産出データについては農林水産省「生産林業所得統計」を利用。マツの統計については筆者が集計・加工した。価格データについては林野庁HP.
　　http://www.rinya.maff.go.jp/j/kikaku/hakusyo/25hakusyo_h/all/a48.html

5．質の指数

5－1　質の指数の計測

　Theil, H.（1980b）は消費の質を測る指標を開発した[4]。消費の質の指数である。それは次式で定義される。

$$質の指数 = w_1（\theta_1/w_1 - 1）dlnq_1 + w_2（\theta_2/w_2 - 1）dlnq_2$$
$$+ w_3（\theta_3/w_3 - 1）dlnq_3 \qquad\qquad (5-8)$$

　θ_i/w_i：所得弾力性

係数に所得弾力性が乗じられているのが特徴である。嗜好品は所得弾力性が大きく，庶民的な品は小さい。よって，質の指数について次のことが成り立つ。

　　プラス　　　嗜好品が増える
　　マイナス　　庶民的な品が増える＝嗜好品が減る

木材の質の指数の符号によって日本の木材についてぜいたく化が進んでいるか，必需品化が進んでいるかを調べることができる。計算結果は図5-2である。

図5-2　質の指数

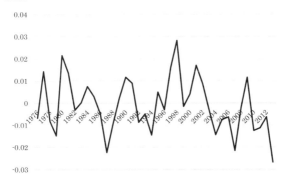

（4）　Theil, H.（1980b）pp.17-21を参照。

平均は－0.0010と，マイナスになっている。つまり，国産材の用途は必需品であることが多く，利用範囲に幅がない傾向があることが分かる。そして，この必需品こそが現在の林業産出額のメインでもある建築用材になる。

5－2　用途が必需品に限定されている場合の問題点

　国産材の用途を見てみよう。2014年の国産材の用途をまとめたのが表5-4である。

表5-4　用途別製材出荷量（2014年）　　　　　　　　　　　　（単位：千㎡）

| | 合計 | 建築用材 | | | 土木建築用材 | 木箱仕組板・こん包用材 | 家具・建具用材 | その他用材 |
		板類	ひき割類	ひき角類				
出荷量	9,569	1,711	2,832	3,306	409	1,033	56	222
構成比	100%	17.9%	29.6%	34.5%	4.3%	10.8%	0.6%	2.3%

（http://www.maff.go.jp/j/tokei/sokuhou/mokuzai_14/）

　必需品としての木材用途の82%が建築用材（板類，ひき割類，ひき角類）ということが分かる。頻繁に使われる必需品ならば，継続的な需要を見込むことができるが，建築材はそうではない。一度，家を建てるなどして必需品としての建築用材を使用してしまうと，以後数十年は木材を消費する必要がなくなり，需要が滞ってしまう。

　必需品の使い方が8割，いやその他を含めればそのほとんどである現状では，木材の必需品以外の用途を積極的に開拓する必要があろう。嗜好品としての用途が広がらないと，国産材の需要も生産も頭打ちになってしまう。必需品としての消費が限られていたとしても，今後嗜好品としての消費価値が生まれれば，国産材は滞りなく消費されていくことになる。

5－3　用途を開拓する必要性―需要の掘り起こしや創出―

　かくして，日本の木材は，前記のように用途が建築用材などを主とした必需品に限られていたため，価格が低く外材に対して優位に立つことができず，林

業そのものを伸び悩ませる結果になっていた。ここでは，必需品ではなく嗜好品としての木材需要を模索し，国産材の幅広い活用可能性を示す。

　1987年に静岡大学農学部の伊藤晴康（1987）によって行われた実験では，コンクリート製，金属製ゲージで飼ったマウスよりも，木製ゲージで飼ったマウスの方が有意に長生きしたという報告があり，それを機に樹木の健康面での可能性が示唆され始めた。現在，樹木には殺菌，抗菌，殺ダニ，抗ダニ，抗カビ，抗酸化などの数えきれないほどの効能が確認されている[5]。人体に影響する具体的な効果としては，鉄筋コンクリートの校舎と比較して木造校舎の方がインフルエンザによる休校率が低いという結果[6]や，樹木が人にリラックス効果を与えるという報告もある[7]。

　これらは木の中にある香気成分が作用していると考えられている。そして，この香気成分を蒸留して取り出したものが精油であり，健康増進としてアロマオイルとして活用されている。アロマオイルは一部の人たちに愛好されており，紛れもなく嗜好品にあたる。

　現在，木材を精油材料として使用することは，あまりなされていない。木材の主な用途は製材して建築材にすることとされてきた。精油材料になるのは製材になるまでの過程で切り捨てられた枝葉やおが屑である。言い換えれば，精油は枝葉やおが屑からでもそれなりの生産量が確保され，木材の新たな需要にはつながると考えられている。

　しかし，枝葉やおが屑のような値段の付かない木材から生み出された製品だけに付加価値は高く，平成28年度北の国・森林技術交流発表会における醍醐他（2017）の発表により，一定の需要が見込まれることも確認されている。

---

(5)　岡村大悟・鮫島正浩・谷田貝光克（2002）を参照。
(6)　杉山真樹（2015）参照。
(7)　近藤照彦・武田淳史・小林功・谷田貝光克（2011）を参照。

　現在，マツの精油の新たな需要開拓に取り組んでいる北海道の企業・組織について まとめると下記の表になる。

企業名/組織名	主な使用樹種	主な活動拠点
株式会社　北都	トドマツ	北海道釧路市
下川町森林組合（フプの森）	トドマツ	北海道上川郡下川町
北海道釧路市音別	カラマツ	北海道釧路市音別（旧音別町）
一般社団法人Pine Grace	アカエゾマツ	北海道江別市

　これら樹木の精油成分については大学などの研究機関が効能について研究，公表することが一般的だった。しかし，最近では木材の精油成分を解析，医学的有用性を公表することにより木材需要拡大への貢献を目的とする団体も発足している。アカエゾマツ精油の需要開拓の例については次章で述べる。なお，上記の表は本研究にあたって取集した情報であり，実際にはもっと多くの企業や組織が樹木精油による商品化に取り組んでいると推測される。

　健康増進としてこれらの精油が普及し，その有効成分が広く伝わることによって，木材の新たな需要が生み出されると考えられる。これまで建築用途としてしか国産材を考えなかった人に対し，健康増進を含めた新たな可能性を木材から見出すことができる。このように，嗜好品としての需要を開拓することは，これまでの必需品としての木材需要に新たな価値を付加することになる。

6．総括

　本章では，日本の針葉樹主要3樹種の需要が頭打ちになった原因について，（総合的な質の指数変化から）必需品化してしまっていることを解明した。用途を必需品に限定し，嗜好品としての需要開拓に踏み出さなかったことが原因の一つと考えられる。

　この結果を受け，新規需要創出の必要性を説くと同時に，その一事例として，健康増進作用の方面に目を向けた需要創出アプローチを紹介した。木材を単な

る材料と見るのではなく，健康を増進させてくれる財と見る。日本は2007年から超高齢社会に突入しており，医療費削減も社会的に大きな課題となっている。木材を健康増進資源として視点を変えて見ることで，新たな需要の可能性が大きく広がるのではないだろうか。林業を成長産業化させるにあたり木材需要の確立は不可欠であり，より一層，社会が抱える課題と結び付けて需要を開拓することが大事になってくるだろう。

　社会的な課題を見据えつつ，国産材の新規需要の創出を模索することこそが，林業を成長産業化させる上で大切と思われる。

第6章　アカエゾマツ新商品に関する新しい
文理融合型マーケティング実験研究

1．はじめに

1－1　目的

　北海道に生息しながら，経済社会での活用が少ない前途のアカエゾマツ。近年この木の有用性が注目され，その成分を分析するとともにその効能などの研究が行われている（醍醐他（2017））。実際，アカエゾマツに関して新しい商品が数々開発されている。アカエゾマツジュース，アカエゾマツローション等である。

　しかしこれらの商品は，未知のため市場もなく，マーケティングによる販売戦略が立てられない。そこで，本章では，実際のマーケティングが不可能な場合，生産数量を決定するためにはいかなる分析を行えばよいかを示す。本章の理論的オリジナリティは次のようである。

　これまでの経済分析は，消費行動からの消費者の効用（ありがたみ）を正確に計測できないまま行われてきた。正確に効用を計測できる基数的効用を前提として，新商品に関する消費者のありがたみを計算する。具体的には，アカエゾマツジュース，アカエゾマツローションの消費実験で，消費前と消費後の人唾液中コルチゾール濃度の変化を測り，ストレス解消度を効用とみなして測定するものである。ストレスの指標とされているコルチゾール濃度はストレスが大きい時高い値となり，ストレスが少ない時低い値となる。それを指標に全体の効用を最大にする組み合わせを見つけ出す。それらの商品を開発し，生産しようとするが，その生産数量などが手探り状態にある極小企業は本論が示した生産を行うことで，社会的に最適な生産量を供給できるようになる。新商品の

生産量決定の新しい文理融合型マーケティングモデルの開発研究である。

備考（消費理論しか使わない理由）：新商品については，開発期段階では利潤最大化などを考えないため，利潤最大化の生産理論は不要となる。

1－2　先行研究

　正確に効用が図れるとする基数的効用の研究も数は多くなく，ましてや効用を唾液中のコルチゾール濃度で測った経済学の研究はない。

　経済学での実験の勧めとしては竹内幹（2014）がある。実験こそ経済学には必要であることを説く。しかし，ゲーム理論的な展開には関心を示しているが，従来の効用最大化の経済理論における実験を進めているわけではない。本章は，従来型経済理論を実験する。

2．経済モデルと実験

2－1　CES型効用関数

　μ 次同次のCES型生産関数（1－8）式を再掲する。

$$u = (\alpha_1 q_1^{-\beta} + \alpha_2 q_2^{-\beta})^{-\frac{\mu}{\beta}} \qquad (1-8)$$

ここでuは基数的効用，q_1 は第1財消費量，q_2 は第2財消費量，p_1 は 第1財価格，p_2 は第2財価格である。次数 μ を設定することで，正確に効用を図れる基数的効用関数である。

2－2　実験

　新商品のアカエゾマツジュース，アカエゾマツローションの2財について，文理融合実験を行った。被験者は28名である。2017年1月14日に酪農学園大学に集まってもらい，実験に協力してもらった。

手順 1

　一人300円の予算を使い切ってもらう前提で，28人を 3 グループに分けた。ケース 1 （ 9 名）では，ジュース100円，ローション50円，ケース 2 （11名）ではそれぞれ50円，100円，ケース 3 （ 8 名）ではそれぞれ100円，100円とした。

設定

価格	ケース 1	ケース 2	ケース 3
アカエゾマツジュース50cc	100円	50円	100円
ローション1塗	50円	100円	100円

予算　300円

各自300円の予算で組み合わせを決める。（300円を使い切る）

手順 2

　そして，効用関数(1)の変数については次のように置いた。

- u：効用

　　人唾液中コルチゾール濃度（sg/dL）の変化の比

　　100ミリリットルの唾液の中に　X　マイクログラム含まれている。

- q_1：第 1 財消費量（ 1 単位：50cc）　　ジュース
- q_2：第 2 財消費量（ 1 単位： 1 塗）　　ローション

q_1とq_2とも単位はそれぞれ「50cc ＝ 1 単位」「 1 塗り ＝ 1 単位」である。例えばジュース100cc購入すれば，数量は 2 とする。

手順 3

　被験者の購入前と購入後（飲んだりつけたりした消費後）の唾液を採取した。

2 - 3 実験結果

ケースごとにグループ分けし，コルチゾール濃度（sg/dL）の計測結果をま
とめた。右から二番目のA/Bは事前に対して，事後はどのように変化したか
の割合である。この値が小さければ小さいほどストレスが解消されたというこ
とになる[1]。

ジュース100円，ローション50円

性別	ジュース (50ml)杯	ローション (3 ml)塗り	Before	After	A/B	B/A
女	1	4	0.0470	0.0792	1.6878	0.5925
男	1	4	0.1516	0.0796	0.5250	1.9049
男	2	2	0.1627	0.0729	0.4482	2.2312
女	1	4	0.1546	0.0697	0.4506	2.2190
女	1	4	0.1638	0.1239	0.7564	1.3219
女	2	2	0.1382	0.0662	0.4790	2.0876
女	2	2	0.1327	0.0543	0.4094	2.4425
男	2	2	0.0841	0.0759	0.9016	1.1091
男	3	0	0.4666	0.0944	0.2024	4.9404

ジュース100円，ローション100円

性別	ジュース (50ml)杯	ローション (3 ml)塗り	Before	After	A/B	B/A
男	2	2	0.1672	0.0946	0.5654	1.7687
女	2	2	0.1260	0.0923	0.7329	1.3644
女	2	2	0.2598	0.0973	0.3744	2.6710
女	2	2	0.0549	0.0500	0.9115	1.0971
女	1	2	0.3592	0.1745	0.4859	2.0582
男	1	2	0.0786	0.0832	1.0583	0.9448
男	2	2	0.1879	0.0467	0.2487	4.0203
女	2	2	0.2635	0.1436	0.5448	1.8355
女	2	2	0.0739	0.0634	0.8575	1.1661
男	2	2	0.0672	0.0726	1.0805	0.9255
男	1	2	0.1078	0.0684	0.6344	1.5762

---

(1)　この値は，効用を表すものとするが，効用関数の場合増加関数なので，効用uにはこの逆数
B/Aを使う。

ジュース100円，ローション100円

性別	ジュース （50ml）杯	ローション （3 ml）塗り	Before	After	A/B	B/A
男	1	2	0.0304	0.0594	1.9538	0.5118
男	2	1	0.3207	0.1431	0.4462	2.2410
男	1	2	0.1931	0.1061	0.5496	1.8194
男	2	1	0.4095	0.1457	0.3558	2.8105
女	2	1	0.2180	0.1026	0.4706	2.1249
女	1	2	0.2948	0.0943	0.3199	3.1257
女	2	1	0.5586	0.1839	0.3292	3.0373
女	3	0	0.0468	0.0553	1.1804	0.8471

これによって経済分析のためのデータはそろった。

3．計算

3 − 1　需要関数

　需要関数（1 −10）式を活用し，ここでのデータを使ってその最尤法の推定結果を書く。

- $\ln\dfrac{p_2}{p_1} = .1540 - .2777\ln\dfrac{q_2}{q_1}$
- $\ln a$ を a について解くと次の結果を得る。
- $a = 1.1665$
- これらの値を使うと，パラメータの関係から（1 − 8 ）式のパラメータについて次の値が求まる。
- $b + 1 = 0.7223$
- $\alpha_1 = 1/(b+1) = 1.3844$
- $\alpha_2 = a/(b+1) = 1.6149$
- $\beta = -(b+1) = -0.7223$

最尤法推定結果

Log likelihood ＝ －21.7950　　　　観測値数 ＝ 26

	係数	標準誤差	Z値	P値
$\ln\dfrac{q_2}{q_1}$　|	－.27778	.17150	－1.62	0.105
定数項|	.1540	.1188	1.30	0.195

--------- ＋---

（STATAを利用）

3 － 2　CES型効用関数

　効用については，表のA/Bの逆数を使う。この値ならば，大きくなったほうがリラックスが進み，効用が上がったと考えられるからである。

　（1－8)式の両辺に対数をとる。

$$\ln u = -\frac{1}{\beta} \times \mu \ln \left(\alpha_1 q_1^{-\beta} + \alpha_2 q_2^{-\beta} \right)$$

先ほど得られた，α_1，α_2，β の値と実験データを使って最尤法で推定すると次のようになる。

・$\ln u = 0.3450 \ln (\alpha_1 q_1^{-\beta} + \alpha_2 q_2^{-\beta})$

次が実験から得られた効用関数である。

$$u = (1.3844 q_1^{0.7223} + 1.6149 q_2^{0.7223})^{0.2510}$$

3-3 分析-初期の生産者の連携が必要

アカエゾマツの商品に関しては，いくつかの企業，団体が生産を開始していたり，計画したりしている。初期投資段階では利潤は二の次である。アカエゾマツ商品の効用が社会に認知され，消費者が購入意欲を増すことが必要となる。

消費者の効用水準を高めるため，価格を一定とし，第1財と第2財の組み合わせを決め，その生産を行う。同質の消費だと競合するが，商品が異なるので消費者に販売する効果が大きくなる。

$$q_1 = (0.7223u^{4.1493} - 0.8572q_2^{0.7223})^{1.3838}$$

この式の u に目標設定数字を入れて，q_1とq_2の組み合わせを考えればよい。

$$Y = p_1q_1 + p_2q_2$$

の社会的な消費者の予算が分かるとき，価格を仮設定すればq_1，q_2について解くことができる。その数量が新商品を消費者に認知してもらう期間の生産量である[2]。

4．総括

ここでの経済モデルの特徴は，効用の数値に，ストレスの大きさを測れる人唾液中コルチゾール濃度を使ったことである。アカエゾマツと言う経済的に未使用の樹種に経済価値をつけるため，アカエゾマツからできている商品の最適販売数量を決める実験をした。消費者の購買意欲を促すためである。アカエゾマツを有効利用することによる，日本林業の活性化を図りたい。

新商品で消費者の信頼を勝ち取るまでの初期においては，消費者の効用を最大にするように企業がお互い連携し経済理論に沿った数量の生産を行っていくことである。商品が異なるので，違法ではない。

---

(2) ここでは，具体的な数値を得るところまでは示さず，二つの連立方程式を解くことによりq_1とq_2が解けるところまで示した。

　課題は，協力しあうはずの会社同士で自分の利潤を少しでも高めようとした時のモデルではないことである。次のステップで，企業が利潤を高めようとする場合の生産量決定モデルも準備しておかなければならないであろう。

第7章 ニュージーランド林業と日本林業の
　　　比較研究

1．目的と先行研究

　ニュージーランドといえば，森林立国である。王子製紙のネピアブランドのように，日本の産業も依存している。しかし，世界の林業のお手本ともいえるニュージーランド林業であるが，過去においては牧畜業の拡大と人工林の減少という課題を抱えたり，林業を支えてきた企業が撤退したりと，順調な発展ではなかった[1]。本章では，日本との関係も深く，林業の本場の国の一つであるニュージーランドを対象に日本林業との比較分析を行い，日本林業が見習う点を探っていく。

　これまで，著者たちが開発してきたモデルでは[2]，日本林業の分析を行ってきた。森林のように見えにくい林業の実態を経済モデル分析により見える化してきた。本章の画期的特長の一つは，我々のモデルを用いた計算結果により，国際比較できる指標を提案することにある。具体的には，規模に対する収穫の度合いで，技術進歩のスムーズさを区分けすることである。これを我々のモデルによるオリジナルな評価指標と位置づける。本章では，林業について生産関数の μ 次同次（規模に対する収穫の度合い）を仮定して，ニュージーランド，日本の林業について評価指標からどのようなことが言えるかを示す。

　結果として，ニュージーランド林業は先端を行き，日本林業が遅れていることがわかる。本章の最大の目的は，日本林業がニュージーランド林業のどのよ

---

(1)　独立行政法人 森林総合研究所「平成20年度海外林木育種事情調査報告書 ニュージーランド 」を参照。
(2)　第1章参照。

うな点を模範とすればよいかを示すことである。ニュージーランド林業の分析
結果と歴史から，日本林業の見習う点を考察していく。

　松岡博幸（2006）では，ニュージーランドの技術進歩率が計算されている。
1次同次のコブ-ダグラス型生産関数が用いられている。日本の研究者にとっ
て，ニュージーランド経済を理解するのにわかりやすく，他国経済の見える化
の実行という点で本章の分析にも役立っている。特に，資本ストックの推計は
本章をはじめ他の研究にも大いに役立っている。本章と異なる点は，第1に，
本章はニュージーランドの林業の分析であり，松岡は国全体の経済を対象とし
ており，林業に特化していないことである。第2に，松岡が1次同次の生産関
数を前提にしているのに対して，本章はより柔軟に$\frac{1}{\gamma}$次同次を前提に分析し
ていることである。

　本章では，ニュージーランド林業の生産面の分析をより一層深め，国の間の
産業の技術進歩の可能性を比較分析していく。

2．ニュージーランド林業の歴史[3]

　ニュージーランドが今のような林業を行っている背景には，国有林の民営化
が関係している。1987年に森林局が廃止され林業公社化，そして，1990年には
国有林経営権の民間売却が開始され，1997年には大方の民営化が完了している。
国有林から経営権を買い取った民間企業は森林管理に加え，製材やパルプ，合
板の生産など合理的な複合経営も行ったため，各企業は高い利益を上げること
に成功した。

　ニュージーランド林業民営化を後押しした要因として，第一次から三次にわ
たる造林ブームがある。第一次造林ブームとは1925年から1935年にかけて起こっ

---

(3)　本節および次節については，木平勇吉（1991），箕輪光博（1989），箕輪光博（1997），柳幸広登，
　　餅田治之（1998），矢野俊夫（2008），Jayawickrama JS, Carson MJ（2000），Shelbourne CJA,
　　Burdon RD, Carson SD, Firth A and Vincent TG（1986）を参考に記述した。本節および次
　　節の文責は土居拓務。

た。現在の主な人工林が形成された時期でもある。この造林ブームのきっかけ
は，造林会社が「造林へ投資することが非常に有利であること」をオークラン
ドの大都市などで宣伝したことにより，多数の人々が造林に投資することで起
こった。

　第二次造林ブームは1960年代後半から1980年代前半にあたる。このブームの
発端は，山林局が発した「将来的に木材不足になる」という予測である。この
当時，パルプ工場の新設が相次ぎ，木材需要が急増していたため，このような
予測がなされた。この予測を受けて政府は造林助成策を実施し，1960年には35.2
万haだった人工林面積を24年後の1984年には104.5万haにまで拡大させた。

　第三次造林ブームは1992年の国有林民営化に始まる。国有林経営権がほとん
ど民間に移行された。その際，新たにパートナーシップ造林と呼ばれる経営主
体が生まれた。このパートナーシップ造林とは，簡単に言えば，事業者（プロ
モーター）が造林用地を準備して，出資者（パートナー）を募り造林を行う方
法である。このような方法で造林が行われている面積は，1980年には総面積の
たった1.4%にすぎなかったが，14年後の1994年には4.9%にまで増えている。
このパートナーシップ造林が流行した背景として，次の 4 つの理由が考えられ
る。(1) 木材需要が好調で立木や素材価格が上昇を続けており，投資収益が大
きくなっていったこと，(2) 1992年から造林投資に対する税制上の優遇措置が
再開され，造林投資の約 7 割が所得税控除の対象になったこと，(3) 羊放牧の
収益性低下により羊の飼育頭数が減少し，土地が余り造林用地を取得しやすく
なったこと，(4) 社会保障政策の見直しに伴って年金支給水準が下がり，人々
が蓄えとして造林投資に目を向けたことである。

　これらの三大造林ブームを経て，ニュージーランドは現在ある造林地を獲得
し，林業先進国としての地位を確立させた。

3. ニュージーランドと日本の違い

3-1 ニュージーランド林業の経営方針と現況

　ニュージーランドと日本の国土面積（千ha），森林面積（千ha），森林率（%），人工林面積（千ha）を比較すると次のようになる。

表7-1　面積の比較

	国土面積（千ha）	森林面積（千ha）	森林率（%）	人工林面積（千ha）
日本	36,450	24,958	68.5	10,270
ニュージーランド	26,331	10,152	38.6	2,087

FAO「The Global Forest Resources Assessment 2015」

　ニュージーランドの国土は26,331千haで日本の約3/4 に当たる。森林率は38.6%であり，森林面積も10,152千haと日本と比較して大幅に少ない。さらに，ニュージーランドでは天然林の伐採が原則禁止されており，人工林はたったの2,087千haしかない。施業が可能な面積で比較した場合，日本よりもはるかに少ない森林資源しか保有していないことが分かる。そのため，日本以上に経済効率性を重視した林業を確立させる必要があった。

　ニュージーランドでは，現在の日本林業にありがちな「木は大きく太ければ良い」という単純な考え方をしない。例えば，ネルソン地区では，データ分析の結果，立木 1 本あたりの材積1.0〜1.2㎥が最も効率的に価値が付くと判断され，それを目標に生産管理が行われている。それに対して，日本の場合，このような緻密な計算をして生産管理を行うことは稀である。木 1 本あたりから採れる材積は大きければ大きいほど経済効率が良いと考えられ，具体的な材積の目標は設定されないことが多い。

　ニュージーランドでは生産管理は育林の全般，つまり植栽時の樹種選定，密度管理など，様々な行程に及んでいる。2008年時点の平均蓄積は約221㎥/ha，平均林齢は13.9年生であった。齢級配置についてもバランスが保たれており，

Ⅰ齢級からⅤ齢級までそれぞれ25万ha以上の面積を保有している。伐採と植栽のサイクルを繰り返すことで，保続的に伐採が可能な齢級配置になっていることもニュージーランドの森林の特徴にあたる。

3－2　天然林と人工林の区分け

　ニュージーランドでは天然林と人工林を施業規制の面から明確に区分したことが，技術進歩を受け入れるための土台になったと考えられる。人工的に植栽された森林が人工林であり，そうでない森林を天然林と呼ぶ。日本でも人工林と天然林の区分は存在する。

　ニュージーランドの場合，人工林と天然林の間で制限に明確な差を設けている。ニュージーランドの天然林は，日本でいう保護林[4]にも近く，ほとんど施業を行えないのが原則である。それとは対称的に，人工林では経済効率を追うことができる。日本で言うところの公益的機能[5]については天然林が主に担っているのに対して，人工林は経済効率の高い生産に特化できる。天然林と人工林という，目に見える形で制限を分けたことにより，ニュージーランドではより質の高い施業に意識を向けることができる。

　日本の場合，同じ人工林であっても，保安林[6]に指定されていたり，されていなかったりなど，様々な確認をとった上でないと施業を行うことができない。ニュージーランドの場合，天然林と人工林を見ただけで制限のある森林かそうでないかが認識できるため，日本のそれに費やしていた労力を，より効率的な施業を行うための時間に充てることができる。特に，新たな高性能林業機械を取り入れる，機械技術を習得する等の高度な技術進歩を取り入れる際は，それ自体の理解に意識を集中させることができるであろう。日本のように制度が複雑になってしまっている場合は，そちらにも意識を向けなければならないため，

---

(4)　原生的な天然林を保護することを目的としており，原則として森林施業は行われない。

(5)　森林は木材を生産するほか，空気や水を浄化したり，土砂の流出を防止したりする機能があり，これらを総称して森林の公益的機能と呼ぶ。

(6)　特定の森林の公益的機能の発揮を目的として，農林水産大臣や都道府県知事によって指定した森林であり，森林施業をする際には一定の制限がかけられる。

新たな技術を導入し，活用する速度は，ニュージーランドよりも遅くなってしまう。ニュージーランド林業が日本以上に経済と強く結びついているのは，人工林を経済活動に特化させたことにより，経営者や労働者が林業というものを理解しやすくなったからであろう。

3－3　樹種の絞り込み

　現在，ニュージーランド林業で一般的な樹種はラジアータパインである。これは海外樹種にあたる。ニュージーランドは，植栽する主な樹種をラジアータパインにほぼ限定してきた。これは技術進歩を推し進める上での基盤になったと考えられる。

　ニュージーランドでは，1886年に大規模な火山噴火があり，大部分の大地が火山灰に覆われた。その火山灰の大地に樹木を植栽するにあたり，様々な樹種を検討し，その結果アメリカのカリフォルニア州産のラジアータパインが植栽されることとなった。導入当初は，植栽から伐採時期まで40年を要していたが，改良を重ねた結果，今はわずか27年で伐採できるようになっている。火山灰の大地に植栽をする際，国産樹種に限らず，広い視野で外国樹種を取り入れる等の取り組みをした結果，現在の合理的施業が生まれたと考えられる。

　植栽をラジアータパインに限定したのは国の方針であった。成長が早く，防腐処理がし易く，使い勝手が良いなどの利点から，人工林樹種として積極的に植栽した。しかも，商業的とも言える品質管理の手法を導入し，森林における木の1本1本を商品とし，細かな品質管理を行き届かせた。日本林業のように幅広く複数の樹種を扱うのではなく，ラジアータパインという樹種だけに絞りこんだからこそ，集中的に管理・研究を行うことができた。ラジアータパインに最も適合する土壌，薬剤の効率的な使用方法など，様々な分野で研究成果を上げている。このようなニュージーランド林業は経済効率性の観点から見た一つの成功例を提示してくれた。

表 7 - 2

	ニュージーランド	日本
産業用の区別	天然林と人工林を区分けし，人工林を活用する。	天然林と人工林の区別がなく，両方とも活用する。
産業用樹種	1 種類（ラジアータパイン）	多種

4．比較分析

4 － 1　ニュージーランド林業の規模の弾力性の計測

　それでは，ニュージーランド林業の経済性を数量的に分析していく。ここではTheil, H（1980a）（1980b）のシステム－ワイド・アプローチの生産理論を用いる。生産関数の $1/\gamma$ 次同次の $1/\gamma$ を計測するのに最適な理論だからである。2投入財のシステム－ワイド・アプローチの投入需要方程式を示そう[7]。

$$f_k dlnq_k = \gamma \theta_K dlnY + \pi_{KK} dlnp_K + \pi_{KL} dlnp_L$$
$$f_L dlnq_l = \gamma \theta_L dlnY + \pi_{LK} dlnp_l + \pi_{LL} dlnp_L \qquad (7-1)$$

q_K：林業資本ストック　　q_L：林業労働者数

p_K：林業資本ストックの価格（実質金利）　　p_L：林業労働の価格（賃金）

Y：林業生産量

f_K：費用に占める資本の費用のシェア

f_L：総費用に占める労働費用のシェア

θ_K：限界シェア（利潤最大化の下で，費用に占める資本費用の割合）

θ_L：限界シェア（利潤最大化の下で，費用に占める労働費用の割合）

---

(7)　水野（1992）pp.80-81の絶対価格式モデルを書き替えた。

π_{KK}, π_{KL}, π_{LK}, π_{LL}：スルツキー係数[8]

各制約条件がある。

$$\theta_K + \theta_L = 1 \text{ より } \gamma\theta_K + \gamma\theta_L = \gamma \tag{7-2}$$

$$f_K + f_L = 1 \tag{7-3}$$

スルツキー係数の対称性の制約条件より，（7-1）式の上式を次の推定式の形に変形し，その1本のみを推定すれば，各パラメータの値が求まる。「付録データの出所と推計方法」で記載したデータを用いて最尤法で推定した。特に，一番困難を要する資本ストックデータに関しては，ニュージーランド経済の先行研究である松岡博幸（2006）の減価償却率を使って推計した。式の推定期間は，1992年から2013年である。その結果，次の式を得た。

$$f_k dlnq_K = 0.4351 dlnY + 0.0160 \, (dlnp_K - dlnp_L) \tag{7-4}$$

表7-3

最尤法推定結果

Log likelihood =30.8834　　　　　　　　　観測値数 = 22

	係数	標準誤差	z値	P>|z|
$f_k dlnq_K$	0.4351	0.1802	2.41	0.016
$dlnp_K - dlnp_L$	0.016	0.0212	0.76	0.449

---

(8)　π_{KK}, π_{KL}, π_{LK}, π_{LL}は生産理論におけるスルツキー係数である。この係数には

$\pi_{KK} = -\pi_{KL}$,

$\pi_{LK} = -\pi_{LL}$

$\pi_{KL} = \pi_{LK}$,

という制約がある。消費理論のスルツキー係数の場合と同じであるが，生産理論のケースとして掲げた。

CES型生産関数を仮定すると，$f_K = \theta_K$，$f_L = \theta_L$が成り立つ。f_Kの1992年から2013年の平均は0.2662なので，その値をθ_Kとして使うと，$\gamma\theta_K = 0.4351$よりγが求まる。

$$\gamma = 1.6346$$

これは，費用1に対して収入が1.6346上がるということを意味する。よって，規模の弾力性$1/\gamma$を計算すると，その推計結果を次のように得られる。

$$1/\gamma = 0.6117 \qquad\qquad (7-5)$$

この値が1を下回っている。つまり，ニュージーランドの林業は規模に関して収穫逓減の構造にある。ニュージーランドの林業は，生産すれば次第に生産の伸び率が減っていくという構造にある。これは，資本ストックを十分に稼働させた後に生産の伸びが落ちてくるということを意味する。成熟した産業に見られる傾向である。

4-2 規模の弾力性の日本との比較－規模に関して収穫逓減の方が規模に関して収穫逓増よりも優れている理由

第1章では，日本林業の規模の弾力性を計算した。この規模の弾力性が生産関数の規模に関しての次数となる。そこで，我々が構築したモデルを使って規模の弾力性を計算した。日本林業の規模の弾力性の計算結果についてまとめたのが表7-4である。

表7-4 日本林業の規模の弾力性

	収益率	規模の弾力性 （$1/\gamma$次同次）
ニュージーランド	1.6347	0.6117
日本	0.7461	1.3402

　ニュージーランドの林業の収益率は1.6347と高いのに対して，日本の林業の収益率は0.7461と低い。ほぼ利益がない状態である。日本は規模の弾力性が1.3402，林業の生産関数は，1.3402次同次であった。日本の場合，規模に関して収穫逓増である。日本の森林は，豊かな木材資源の宝庫である。理論上は，資本と労働を増やし，木を伐れば伐るほど利益が増える。しかし，日本の森林は坂が急峻なところが多く，実際には伐ることが難しかったり，伐れなかったりする木が多く，見た目ほど林業が儲かる業種とは言えない。また，森林の所有者が細かく分散されているため，まとまった大規模な伐採を実施できないほか，所有者不明で手すら付けられない森林が多くあるのも実情である。これらの問題がある分だけ，日本林業の発展は遅れてしまう傾向にある。

　さて，ニュージーランドは，規模の弾力性が0.6117で，日本と異なり，規模に関して収穫逓減であった。林業の生産関数が0.6117次である。第1章（1－6）式を再掲する。

$$\rho = d\ln Y - \frac{1}{\gamma}(f_K d\ln k + f_L d\ln L) \tag{1－6}$$

これは全要素生産性伸び率，つまり技術進歩率の計測式である。$1/\gamma$の大きさいかんでその大きさは変わってくる。それは右辺第2項に$1/\gamma$が含まれている。符号はマイナスなので，その値が大きければ大きいほど，全要素生産性伸び率が小さくなる。逆にそれが小さければ，全要素生産性伸び率は大きくなる。

　（1－6）式で計算したニュージーランドの林業の全要素生産性伸び率の平均値は0.0320（1992－2013年）であった。同じく，第1章の日本林業の全要素生産性伸び率の結果を使って計算した平均値は0.0014（1981－2009年）だった。比べると，ニュージーランドの年3.2％に比べて日本は年0.1％に過ぎない。松岡博幸（2006）での経済全体の技術進歩率は13％（1972－2002年平均）であったのに対して，林業は平均3.2％なので決して高い技術進歩率とは言えない。しかし，ニュージーランドの技術進歩率は日本に比べて格段に高い。

　この理由は（1－6）式にある。経済成長期など通常期においては，規模に関して収穫逓減ならば，技術革新力が働く。逆に，規模に関して収穫逓増だと，

第 1 章で述べたラチェット効果より産業衰退期に規模の弾力性が技術進歩に寄与する。通常期を対象に考えれば，ニュージーランドの規模に関して収穫逓減がすぐれている。この規模に関して収穫逓減構造を生み出したのが，1 種類の樹木に限る，人工林と天然林を区別し，人工林を産業の対象とするという，ニュージーランドの政策であった。

表 7 - 5　規模の弾力性の比較

	ニュージーランド	日本
規模に関する収穫の度合い	逓減（$1/\gamma<1$）	不変（$1/\gamma=1$）
技術進歩（通常期）	促進される	促進されない

5．総括

　今回，システム－ワイド・アプローチを利用してニュージーランド林業の収益率と規模の弾力性を計算した。これを我々のモデルの評価指標に充てた。それを使って，ニュージーランド林業と比較するため，第 1 章により計算されていた日本林業の規模の経済性を使って比較した。

　日本では，林業が規模に関して収穫逓増であり，まだまだ生産余地のある状態であった。しかし，それが直ちに実現しないのは，地形の急峻さに加えて，樹種の多様さ，および人工林・天然林の垣根がない複雑な制度，さらには森林の所有構造が抱える問題のためであった。

　本章で計算した通り，林業の先進的な国であるニュージーランドは，規模に関して収穫逓減となっていた。人工林と天然林の区分け，樹種の絞り込み，林業の完全な民営化などによる経済効率性の確保による成熟の表れである。

　日本の場合，縦に長い地形による気候の多様さ，森林資源に対する考え方の相違もあり，樹種についてなかなかニュージーランドのように絞り込みができない。しかし，制度については，施業者が少しでも取り組みやすく，その労力

を作業に集中できるよう，より一層明瞭化していく必要があろう。全面民営化したニュージーランドの手法をそのまま取り入れるのではなく，林野庁や各地方自治体の政策を軸に据えた体制の下，上手にニュージーランド林業の特性を取り入れて，日本林業を充実させていくことが重要になっている。

補論　データの出所と推計方法

1）資本ストック　100万ドル

　松岡の論文に1990－2002年の産業全体の資本ストックが計算されている。総資本形成を利用して，毎年の減価償却率を計算した。

$$K_t＝（1－d）K_{t-1}＋I_t$$

その減価償却率を平均して2003年以降の減価償却率とした。

　ここではニュージーランド林業に関して，その値を2005年価格で実質化し，第1次産業に対する林業産出額の比率を乗じて林業の実質資本ストックを推計した。実質化のデフレータはGDPデフレータ（国連）。批判を受けるところだが，ニュージーランド林業の資本ストックはデータにないのでやむを得ない。

2）労働

　第1次産業就業者数（ILO）に，第1次産業に対する林業産出額の比率を乗じた。

3）農業生産額の対GDP比：国連

4）木材生産額100万ドル

　　丸太生産（丸太，㎥）：FAOに下記で推計した木材価格を乗じて推計

　　木材価格の推計：木材輸入額を木材輸入量でデフレート（両方ともFAO）

　　GDPデフレータで実質化2005年価格

5）木材価格の推計：木材輸入額を木材輸入量でデフレート（両方ともFAO）

6）金利：長期金利（OECD）

7）賃金：最低賃金　単位は米ドル/h　（OECD）

第8章　東南アジアにおける林業の現状の見える化

1．趣旨と目的

　かつて東南アジアの林業は，木材輸出や木材加工品（家具など）製造に頼り，その経済優先の姿勢から森林を軽視してきた。しかし，各国政府は森林の縮小に危機感を抱き，その立て直しも図られてきた。「東南アジアの熱帯林は，低コストでの木質資源の供給源となりえると同時に，巨大なバイオマスを持ち，高い生物多様性を内包する」という理由から[1]，その重要性が再認識され，持続的森林の維持の研究がなされてきた。とはいうものの，林業は森林の保護と経済的産出促進の競合関係の形で，運営が非常に難しい。そのことを踏まえ，東南アジアのマレーシア，フィリピン，タイ，ベトナムの林業について，経済学的な指標に沿ってそれぞれの国の林業の経営状態を計測し，東南アジアの林業の効率性を見える化させるのが本章の目的である。

　これまで活用してきた理論で東南アジアの国々の林業が最適生産されているとしたら，その規模に関する経済性はいくらであろうか[2]。結果として，フィリピン，タイ，ベトナムの3国はほぼ1次同次になった。1次同次とは，費用1に対して収入も1という様に健全な経営状態を表している。事前に仮定としておくのではなく，推計結果として1次同次を導き出した本章の功績は大きい。それに基づいて各国林業の生産効率性指標，技術進歩率を計算することにより，

---

(1)　井出公美子，興梠克久，ラヴィンハイハー（2010）p.135。

(2)　神崎 護「東南アジアでの持続的な林業は可能か？：現状分析と展望」
　　http://www.asafas.kyotou.ac.jp/seana/144.pdf#search='%E6%9E%97%E6%A5%AD+%E6%9D%
　　B1%E5%8D%97%E3%82%A2%E3%82%B8%E3%82%A2'）

より適切な施策を考えられる可能性があるからである。

　グローバル化で国際連携が重要性を増す昨今，東南アジア林業の現状を見える化し，実は日本など他国の林業が手本にすべき点があることを述べる。

　本章の分析にあたり，問題は，東南アジア林業の資本ストックデータが公表されていないことである。レ・タン・ギエップ（2010），大西広（1998）において，欠如した資本ストックデータの推計が行われていた。東南アジアの統計では，各国とも資本ストックのデータを公表していない。本章は，東南アジア諸国の林業の分析に必要となる資本ストックデータについて，その足りないデータを推計する方法をとった。その際，彼らの推計した方法やデータを活用して，本章で不足したデータを補っている。

2．東南アジアの林業の現状[3]

2－1　ベトナムの林業

　ベトナムでは，1945年に43％であった森林被覆率が乱伐のため1990年には27％にまで減少した。政府は「327プログラム」（1993〜2000年），「661プログラム（500万ha造林計画）」（1998〜2010年）を打ち出し，2005年には森林被覆率を37％にまで回復させた。これら一連の計画もあり，ベトナムの森林面積は年平均約30万haの大きさで増加を続けた。

　しかしながら，造林面積は増加しているものの，木が育っていないため，低い森林蓄積しか有していない。つまり，直ちに製品化できないのである。さらに薪炭材の過度な使用により，天然林の質が低下し，植林適地の分散化等の問題も引き起こされた。

　この問題を解決するため，政府は2007年に「林業開発戦略」（2006〜2020年）を策定した。これにより森林区分が設定され，特別利用林，保全林，生産林の

（3）　本節の文責は土居拓務。井上真（2000）p.22，井上幹博（2010）pp.8-11，佐藤仁（1999），藤田渡（2008），松島昇，市河三英（2009）p.78，Forest Partnership Platform（2017）を参考にして記述。

３類型にゾーンがわけられた。しかし，この結果，水源涵養などの国土の保全を目的とした保全林と経済的利用を目的とした生産林が相互に位置するような形状になってしまい，林業を行う上では非効率になってしまった。最終的には国土面積の49％（1,620万ha）しか森林としての利用分にならなかった。

　以上の木材不足の理由等から，ベトナムでは，家具生産の原材料が追い付かず，木材の輸入に頼っている。2007年のベトナムの家具輸出額は，2,346百万ドルとなっている。中でも，日本は，2007年のベトナムからの日本の木製家具輸入は2,583千万円であり，日本もベトナム経済に貢献していると同時に森林破壊の一翼も担ってしまっていた[4]。

2－2　マレーシアの林業

　マレーシアの森林面積は，2,046万ヘクタールと推計されており，これは国土の約62％にもなる（国連食糧農業機関（FAO）「世界森林資源評価2010」）。同国は，保全すべき重要な地域（生物多様性ホットスポットやグローバル200（WWF）等）を有しているにもかかわらず，一部の地域では森林喪失が懸念されている。1980年代後半までにボルネオ島の５分の１，半島マレーシアの２分の１もの森林が失われ，その後も商業伐採，農地開発，ダム建設等のため，1990年から2000年に７万9,000ヘクタール，2000年から2005年には14万ヘクタールもの森林面積が減少した。

　マレーシアにおける森林減少対策の一つに日本の国際協力事業団の積極的な受け入れがある。例えば，半島部マレーシアでは日本の国際協力を前提とした造林計画が作成され，本格的な造林計画が1980年代から行われ，1990年代までには約３万9,000ヘクタールが植栽された。政府の長期の懸念であった違法伐採問題については，国家森林法改正（1994年）により制裁規定を強化，軍が森林パトロールを行えるようにしただけではなく，国全体で伐採権のバーコード・タグ・システムを導入し，伐採地情報がより正確に管理されることになった。

---

(4)　ベトナムの記述については，井出公美子，興梠克久，ラヴィンハイハー（2010）p.133および
　　p.135を参照。

　その他，世界的な認証制度であるPEFCの導入の他，独自の森林認証制度（MTCS）も制定している。これら認証は，適正な森林施業を通じて得ることができ，木材に付加価値を与えるため，民間企業における持続可能な森林経営をより一層推進させる。

　マレーシアでは依然として森林減少が問題視されるものの，日本による植栽に加え，政府によるこれら一連の政策により，長期に渡り減少し続けてきた森林率が，2007年から2010年にかけては59.6%から62.0%に増加しており，一定の効果があったと考えることができる。

2－3　フィリピンの林業

　フィリピンの森林面積は767万ヘクタールであり，国土の約26%に相当する。

　フィリピンは世界でも急速に森林破壊が進行した国である。政府は，他の東南アジアの他の国々よりも早くに社会林業事業を導入したにも関わらず，森林減少に歯止めがかかったのは1990年代頃からである。森林が減少した背景としては，1960年代に始まる大規模な伐採や鉱業，焼畑農業や，1980年代以降の土地転換や森林火災等が指摘される。1990年頃から森林面積は微増傾向にあるものの，そのほとんどは天然更新によるものであるとの報告もある。

　森林政策があまり成果を上げない理由として，事業関係者の汚職や担当政府機関の非効率な運営が指摘されるほか，住民参加型森林管理制度（コミュニティに根ざした森林管理）の導入が原因とされることもある。

　フィリピンでは憲法によって林地は国有化されており，森林政策を実行する機関は環境天然資源省である。この住民参加型の森林管理制度とは，1995年の大統領命令によって本格的に制度化されたものである。政府は管理する森林が国の土地であることを理由に従来の地域住民を排除するのではなく，その住民をむしろ森林管理の担い手と考え，住民が自発的に森林管理に参加することを促すようにした。なお，住民が森林を管理するにあたり，政府と交わす契約には2種類ある。一つは先住民族等が慣習地権利証を得て管理計画を作成する方法であり，もう一つは地域住民が組織を形成して25年契約の包括的資源管理フ

レームワークを作成する方法である。これら制度によって管理される森林面積
は年々微増しているが，もともと森林管理の慣習を持たない者にそれを押しつ
けており，実質的には機能していないという指摘が強い。

　なお，この住民参加型森林管理制度は時期を同じくして，アジア諸国に広がっ
ており，フィリピンの他，インドネシアやタイでも採用されている。

2 − 4　タイの林業

　タイもまた，著しい森林減少を辿った国である。1940年代半ばには，国土面
積の約63％が森林であったが，1958年には約53％，1985年に至っては30％を下
回るまで減少していた。この背景としては，伐採技術の進歩，木材運搬システ
ムの向上，および著しい人口の増加等が挙げられる。

　1988年に発生した洪水被害は森林管理の不備が原因の一つであることが指摘
された。政府の無策が原因であるとの世論が広がり，それを受けて政府は天然
林の伐採禁止や保護林の規定を強化した。1990年以降になり，ようやく森林減
少に歯止めがかけられた。この頃から，森林を経済的に利用する以上に保護す
ることの重要性に国の焦点は移っている。

　森林管理については，民有地に造成された森林を除き，全て国が所有する形
で行われてきたが，1980年代の後半から，地域の森を地域住民に管理させると
いう，フィリピンと同じ住民参加型森林管理制度を採用する動きが出ている。

　タイでは，森林保護の重要性が強く意識され，政府は保護区の増設を進めた。
その際，もともとその森林に居住していた住民と政府とのあいだには衝突する
ことも少なくなかった。その一つが1989年チェンマイ県フアイケーオ村におけ
る住民の反対運動であり，その結果，政府は地域住民がその森を共同で管理す
ることを認めている。これがタイにおいて住民参加型森林管理制度が一般化さ
れる背景であり，今では政府の側から地域住民による共同管理を促している。

3. 各国林業と経済理論 (1)

3-1 要素シェアの計算

　ここでもシステム－ワイド・アプローチの生産理論を活用する。基礎となる総費用に占める資本ストックの要素シェア f K，同労働の要素シェア f Lを各国について計算してみよう。Theil. H（1980a）（1980b）では，0 よりも大きく1 よりも小さいと定義されていた。しかし，東南アジアでは，すでに実質金利がマイナスになっているときがあり，その結果，f Kがマイナスになるケースが複数回見られた。そのことによって，f Lは 1 を超えることもあった。これらを計算するための各データの出所や推計方法を付録1，付録2 に示してある。

　f K，f Lを計算した結果を次のグラフで表した。

図8-1　各国の要素シェア

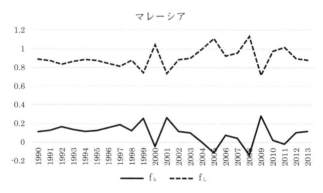

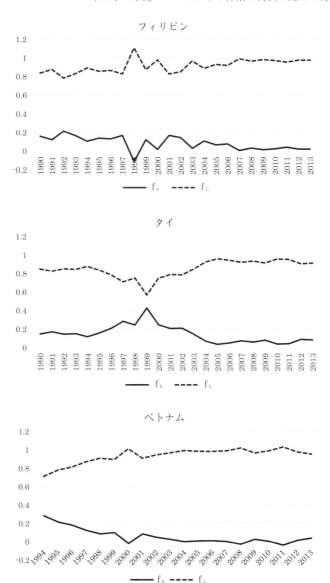

いずれの図においても，林業において資本のシェアよりも労働のシェアのほう
が大きい。平均を計算してみよう。次のようになる。

	f$_K$	f$_L$
マレーシア	0.0966	0.9033
フィリピン	0.0849	0.9150
タイ	0.1477	0.8522
ベトナム	0.0619	0.9380

　このように，各国の林業とも，資本のシェアは，6－15％，労働のシェアは86－94％となっている。東南アジア各国の林業は労働集約的であり，4か国のその割合がほぼ等しくなっている。つまり，技術的に他国より突出した産業構造ではなかったといえよう。

3－2　システム－ワイド・アプローチの計算

　各国の林業についてシステム－ワイド・アプローチの投入需要方程式（7－1）式を計算する。再掲すると次式で表される。

$$f_k dlnq_k = \gamma \theta_K dlnY + \pi_{KK} dlnp_K + \pi_{KL} dlnp_L$$
$$f_L dlnq_L = \gamma \theta_L dlnY + \pi_{LK} dlnp_l + \pi_{LL} dlnp_L \qquad （7－1）$$

θ_K：限界シェア（限界費用に占める資本費用の割合）　　θ_L：限界シェア（限界費用に占める労働費用の割合），π_{KK}，π_{KL}，π_{LK}，π_{LL}：スルツキー係数
スルツキー係数には第7章の注(8)で示した次の制約条件がある。この制約から，（7－4）式を推定すればよい。

$$f_L dlnL = \gamma \theta_L dlnY + \pi_{LL}（dln p_L - dln p_K）$$

表 8-1　計算結果

	$\gamma\,\theta_i$	π_{KK}（対称性から計算）	π_{LL}	決定係数
マレーシアL	0.6647 (4.6419)	−0.0004	0.0004 (0.2704)	0.4951
フィリピンL	0.9085 (22.2426)	−0.0084	0.0084 (0.2105)	0.9613
タイL	0.8982 (21.4755)	0.0407	−0.0407 (-0.7262)	0.9567
ベトナムL	0.9573 (36.1198)	0.0011	−0.0011 (-0.2399)	0.9873

カッコ内は t 値

　なお，推定の際，スルツキーの対称性の制約の下，OLSで推定した[5]。推定期間は，ベトナムが1994−2013年，その他の国が1991−2013年である。CES型生産関数を前提にすると，要素シェアと限界シェアは等しい。$f_L = \theta_L$である。f_Lに関しては平均値を使うので，$\theta_K + \theta_L = 1$より限界シェアを掲載しておくと，次表である。各国の上段がθ_K，下段がθ_Lである。

表 8-2　限界シェア

	θ_i
マレーシアK	0.0967
L	0.9033
フィリピンK	0.0850
L	0.9150
タイK	0.1478
L	0.8522
ベトナムK	0.0620
L	0.9380

---

(5)　システム−ソイド・アプローチの推定については，Theil, H.（1980b）p.33にて誤差項の正規分布を仮定しているため，最尤法と最小2乗法の結果が一致するのでどちらを選択してもよいであろう。

やはり，資本の限界シェアは小さく，労働の限界シェアは大きい。生産量が
増えた場合，労働を増やす割合のほうが大きくなっている。f_1, f_2と同様，生
産が増えたときの追加的状況においても，各国林業が労働集約的として表され
た。要素シェア，限界シェアの値から，各国とも機械化に依存する林業という
よりも，労働を中心とした林業だといえよう。

4．各国林業と経済理論（2）

4−1　各国の規模の弾力性の計測

１）規模の弾力性

　まず，東南アジアの林業の経済学的特徴を明らかにするために，規模に関し
ての経済性を計算する。規模の弾力性は$1/\gamma$なのでそれを計算して次表にま
とめた。

表8-3　規模の弾力性

	$1/\gamma$（n次同次）
マレーシア	1.3534
フィリピン	1.0071
タイ	0.9487
ベトナム	0.9797

この結果から次のような区分けができる。

規模に関して収穫逓増（費用1に対して収入が1以上）　マレーシア
規模に関して収穫一定（費用1に対して収入が1）　フィリピン，タイ，
　　　　　　　　　　　　　　　　　　　　　　　　　ベトナム
規模に関して収穫逓減（費用1に対して収入が1以下）　なし

　はたして，規模に関する経済性は，いかなる時が理想的なのであろうか。特に，林業においてどうであろうか。

　まず，規模に関して収穫逓増の場合（収入が費用を下回る），規模が小さい企業の集まる産業に見られ，分業がうまくいっていないことが多い。そうした産業は増産すればするほど利益が上がるが，林業の場合，結果として自然を壊してしまう可能性がある。マレーシアが，それに当たる。

　規模に関して収穫一定の場合（収入と費用が一致），経済学で長期均衡が達成された理想の状態である。無理な資本の導入により利益を伸ばそうとするインセンティブが働かないので，森林保全との両立を目指すところでは，林業は規模に関して収穫一定が望ましいと思われる。今回の分析では，フィリピンが，それに当たる。ほぼ1次同次のタイ，ベトナムも，厳密にいえばこれに当たる。

　最後に，規模に関して収穫逓減の場合（収入が費用を上回る），大規模な固定資本があり，そのため生産が逓減する。ところが，林業の場合，製品を作るための固定された資本というよりも，木を伐るための可動式資本となり融通が利くため収益が発生する。

　かくして，フィリピン，タイ，ベトナムはほぼ規模に関して収穫一定の状態にある。第2節でも述べたように，東南アジアの林業は，以前と比べ発展しており，森林保護のため政府が随時政策を講じることから，かつての乱伐状態ではなく，森林保全と調和が取れる産業となっているのであろう。

4－2　技術進歩率

　マレーシア以外の3国の生産関数の同次性の次数がほぼ1であることが判明した。つまり，どの国の林業も生産関数が1次同次である。これは，CES型生産関数に1次同次を仮定して変形したコブ－ダグラス型生産関数が各国の林業に当てはまることを意味する。

　そこで，上記で推定した期間で，次の各国林業の1次同次コブ－ダグラス型生産関数を推定した。

$$z = e^{h+gt}K^{fK}L^{fL}$$

ただし，これを対数変形して，最小 2 乗法で推定した[6]。

hとgはパラメータ，t＝1，2，3，・・・，というトレンド変数である。gが技術進歩率にあたる。生産量には実質林業産出額，資本ストックには実質林業資本ストック，労働者数には林業労働者数を利用した[7]。

ここから，各国の林業の技術進歩率を計算すると次表となった。

タイが3.7%，フィリピンとベトナムがほぼ 0 ％だった。さて，この値を2014年の実質GDPと比べてみよう。

表 8 - 4　技術進歩率

	技術進歩率
マレーシア	0.0230
フィリピン	−0.0069
タイ	0.0376
ベトナム	0.0035

＊マレーシアは参考に掲載した。

---

(6)　$\ln Y = h + gt$

ただし，左辺は $Y = z K^{-f_K} L^{-f_L}$ であり，1 変数として計算した。f_Kとf_Lには，先ほど求めた実際値の平均値を利用した。フィリピンとベトナムの決定係数が低い。

コブ−ダグラス生産関数

	定数項 h	g	決定係数
マレーシア	7.9301	0.02306	0.2994
t 値	80.1834	2.9961	
フィリピン	6.7976	−0.00696	0.03322
t 値	64.55	−0.8495	
タイ	5.4719	0.0376	0.4883
t 値	50.597	4.4773	
ベトナム	5.7301	0.003534	0.0712
t 値	171.3596	1.1748	

(7)　各データは，付録 2 に記載のように，推計したものである。

この表から，GDPの順番は，タイ，フィリピン，ベトナムとなっており，林業の技術進歩率の順番とほぼ同じになっている。つまり，林業の技術進歩は，

表8-5　実質GDP（2005年価格）国連　100万ドル

タイ	255,245
マレーシア	220,496
フィリピン	165,095
ベトナム	97,799

＊マレーシアは参考に掲載した。

国の富裕度に応じて決まっている。日本をはじめ他国が東南アジアの林業をサポートする際，このGDPを考慮に入れ，フィリピンやベトナムから先に支援していく必要があることがわかった。

5．総括

　東南アジアの森林はこれまで幾多の困難を乗り越えてきた。その結果，林業の状況がどうなったか。それを明らかにするのが本章の目的だった。東南アジアの国々の林業について規模の経済性，技術進歩率を計算した。マレーシアの林業は発展途上であったが，タイ，フィリピン，ベトナムについては，採算の取れる優れた構造であることが分かった。日本の林業は立ち遅れている。第1章にて，日本の林業は，規模の弾力性が，1.3402と計算された。この逆数0.7461が費用に対する収入の割合なので，東南アジアのタイ，フィリピン，ベトナムの林業より劣っていることがわかった。こうした国々の林業の在り方を学び，日本も生産性の高い林業構造の構築を目指していくべきだということが言える。

付録1

資本ストックの推計（京都大学環太平洋計量経済モデルまたはレ・タン・ギエップの方法）

dを減価償却率として，$K_t = (1-d) K_{t-1} + I_t$で計算。

1）総資本ストック　データ　レ・タン・ギエップ

2004年（10億2,000年米ドル）

マレーシア　187　　フィリピン　111

タイ　　　　287　　ベトナム　　70.1

2）京都大学環太平洋データベース

http://pacific.econ.kyoto-u.ac.jp/pacific/

減価償却率

http://www.econ.kyoto-u.ac.jp/pacific/model/app1.htm

付録2　それ以外のデータおよび推計

共通

GDPデフレータ　国連

農林生産額の対GDP比　国連

農業生産額　国連

労働者数　ILO

木材価格の推計

　木材輸出額m3/木材輸出額（百万＄）

　いずれもFAO

実質金利　世界銀行

タイ，マレーシア，フィリピン　　推定期間　1996－2013年

木材丸太生産（m3：FAO）→木材丸太生産額（百万＄）：価格データは木材輸出価格。木材輸出額/木材輸出量　FAOデータ）

林業/国の比

「農業生産額（漁業や畜産業も含む）のGDP比（国連）」と「農業生産額（国連。百万＄）と林業生産額の比」を乗じた。

林業生産額は丸太の生産総額，農業生産額は付加価値（生産額-中間生産物）である。ただし，丸太生産には中間生産物がないとみなし，付加価値同士の比と解釈した。

賃金（次の順で計算）

名目GNI（百万＄，国連）→実質GNI（GDPデフレータで。国連。2005年＝100。）→林業実質GNI（林業生産額/GDPを乗じる）→林業労働者一人当たりGNI＝林業就業者実質賃金

資本ストック（次の順で計算）

国資本ストック98年まで（京大環太平洋計量経済モデルより）実質95年価格→2005年価格。単位も10億ドルから百万ドルに変換→京大モデル減価償却率 d ＝0.11（タイ），d ＝0.08214（フィリピン），d ＝0.03（マレーシア）を使って，かつ国全体の総資本形成（2005年実質百万＄）を用い京大の資本ストックのデータを2014年まで延長→林業生産額/GDPを乗じる→林業資本ストック

労働

労働者数（ILO）に，「GDPに対する林業生産額の比」をかけて林業労働者数を推計

ベトナム　推定期間1994－2013年

林業産出量（単位はm 3 。1995－2014年についてはGENERAL STATISTICS OFFICE of VIET NAMのデータ。1990－1994年についてはFAO丸太生産額の増加率を計算し，GENERAL STATISTICS OFFICE of VIET NAMの1995年データを割って 1 年毎にさかのぼりながら計算した。）→林業産出額（百万＄）：価格データは木材輸出価格。木材輸出額/木材輸出量　FAOデータ）

林業/国の比

「農業生産額のGDP比（国連）」と「農業生産額（国連。百万＄）と林業生

産額の比」を乗じた。

資本ストック（次の順で計算）

　全体資本ストック（2004年と1984年を推計。10億2,000米ドル。東アジア地域の経済 ── 成長速度と格差レ・タン・ギェップ　城西国際大学2009第13号（2010年3月）pp.29-44）→毎年の全体の資本ストック（20年を均等に分け，70.1から加減して求めた）→全体の資本ストック（2005年百万ドル）。対ドルドンレート。国連データ）→林業資本ストック（林業/国の比をかけて求めた。実質）

賃金

　農林水産業賃金1か月あたり給与（GENERAL STATISTICS OFFICE of VIET NAM）2004年，2009-2014年しかない。Thous. Dongs→$→実質2005年価格（GDPデフレータで）および，不足している年は国連一人当たり名目GNIの伸び率を，2004年データに乗除して求めた。

実質金利

　1994-1995年の欠如部分は1993年と1996年の金利差を3等分して推計。

参考文献

相川高信（2010）「先進国林業の法則を探る－日本林業成長へのマネジメント」東京都，全国林業改良普及協会，pp.30-36

石塚和裕（1988）ブンヤリットプリヤコーン村「タイ王国の林業の現状と造林事業の将来」『熱帯林業』11，pp.9-16

井出公美子，興梠克久，ラヴィンハイハー（2010）「ベトナムにおける家具産業の発展過程に関する研究」『九大農学芸誌』65(2)，pp.131-141

井上真（2000）「東南アジア諸国における参加型森林管理の制度と主体：森林社会学からのアプローチ」『林業経済研究』46(1)，pp.19-26

井上幹博（2010）「ベトナムの森林・林業行政の最近の動向」『海外の森林と林業』79，pp.8-14

伊藤晴康（1987）「マウスの飼育成績による評価」『靜岡大學農學部研究報告』36，pp.51-58

岡村大悟・鮫島正浩・谷田貝光克（2002）「樹木の精油成分とその抗菌活性」『木材保存』28(6)，pp.224-235

大西広（1998年）『環太平洋諸国の興亡と相互依存―京大環太平洋モデルの構造とシミュレーション』京大学術出版会

木平勇吉（1999）「ニュージーランドの森林・林業」『諸外国の森林・林業』日本林業調査会，pp.259-292

黒田昌裕（1981）「日本経済の生産性推移と市場パフォーマンス―日米生産性の時系列比較―」『季刊現代経済』43，pp.56-72，日本経済新聞社.

駒木貴彰（1999）「北海道における高性能林業機械の導入実態と課題」『林業経済研究』45(1)，pp.69-74

小沼順一（1993）「林業機械化の方向と技術開発」『森林科学』8，pp.18-27

近藤照彦・武田淳史・小林功・谷田貝光克（2011）「森林浴が生体に及ぼす生理学的効果の研究」『日本温泉気候物理医学会雑誌』74(3)，pp.169-177

坂野上なお（2011）「木材生産・流通に影響を与える需要側の変化を追って－林業経済研究は木材需要の行方をどのように捉えるか－」『林業経済研究』57(1)，pp.19-26

116

櫻川幸恵（2005）「全要素生産性（TFP）に関する理論的考察」『跡見学園女子大学マネジメント学部紀要』3，pp.109-128

佐藤仁（1999）「人々のための公共地－タイにおけるコミュニティー林の制度的基礎」『東南アジア研究』37(1)，pp.65-89

杉山真樹（2015 ）「20年後の木材産業のために『木材と人の科学』を活かす方策」『木材学会誌』 61(3)，pp.148-153

醍醐由香里・垣本愛・友善良兼・土居拓務（2017）「アカエゾマツ精油によるストレス軽減と抗菌作用」『平成28年度北の国・森林づくり技術交流発表会』林野庁北海道森林管理局技術普及課主催

竹内幹（2014）「実験経済学と行動経済学」『経済セミナー』679，pp.37-41

立花敏（2000）「東南アジアの木材産出地域における森林開発と木材輸出規制政策」『地域政策研究』（高崎経済大学地域政策学会）3 (1)，pp.49-71

立花敏（2003）「日本における針葉樹丸太の需給構造の計量経済学的解明」『統計数理』51(1)，pp.135-146

立花敏（2010）「第9章　ニュージーランド」『世界の林業：欧米諸国の私有林経営』日本林業調査会，pp.354-381

冨永隆志（1997）「ヴィエトナムの森林と林業事業」『熱帯林業』40，pp.2-14

永井博子（2014）「住民からみた参加型森林事業－フィリピン中部マアシンにおける水源林再生事業と地域社会－」『東南アジア研究』51(2)，pp.197-226

中田了五 三浦真弘（2009）「平成20年度海外林木育種事情調査報告書 ニュージーランド 」独立行政法人森林総合研究所林木育種センター育種部
http://www.ffpri.affrc.go.jp/ftbc/business/kaigai/jijyocyosa/documents/nz.pdf

農林水産省（2015）『平成26年度　森林・林業白書』

葉山アツコ（2012）「第3章　地域の組織力からみるフィリピンのコミュニティ森林管理事業」重冨真一・岡本郁子編『アジア農村における地域社会の組織形成メカニズム』pp.1-24

藤田渡（2008）「タイ『コミュニティ林法』の17年－論争の展開にみる政治的・社会的構図」『東南アジア研究』46(3)，pp.442-467

松岡博幸（2006）「ニュージーランドの生産要素と技術進歩の推計」『福井工業大学研究紀要』36，pp.43-52

松島昇，市河三英（2009）「タイのコミュニティ林業」
https://www.env.go.jp/nature/satoyama/syuhourei/pdf/cwj_11.pdf#search='%E3%82%BF%E3%82%A4+%E6%9E%97%E6%A5%AD'

松本法生（2016）「ニュージーランド現状俯瞰〜現状と課題〜」『森林技術』887，pp.8-11

水野勝之（1986）「技術進歩（technical progress）理論についての一考察－一般化残差理論とH.タイルのシステム－ワイド・アプローチ－」『北九州大学商経論集』21(1)，pp.65-90

水野勝之（1991）『ディビジア指数（Divisia index）』創成社

水野勝之（1992）『システム－ワイド・アプローチの理論と応用－計量経済モデルの新展開－』梓出版

水野勝之（1998）『経済指数の理論と適用－消費分析への経済指数の適用』創成社

箕輪光博（1989）「特集"新世界の林業"その光と影－ニュージーランド林業の実態－（Ⅰ）3ニュージーランド林業から考えること－国有林の民営化を中心として－」『林業経済』8，pp.16-30

箕輪光博（1997）「Ⅵ 1996年第2回例会論文　ニュージーランド国有林の民営化」『林業経済研究』43(1)，pp.110-115

宮川努（2006）「生産性の経済学―我々の理解はどこまで進んだか―」『日本銀行ワーキングペーパーシリーズ』

林野庁森林整備部（2015）「CMD植林に関する基礎的情報：フィリピン」http://www.rinya.maff.go.jp/j/kaigai/cdm/philippines.html

レ・タン・ギエップ（2010）「東アジア地域の経済 —— 成長速度と格差」『城西国際大学大学院紀要』13，pp.29-43

柳幸広登・餅田治之（1998）「ニュージーランドの『第3次造林ブーム』とその造林主体について」『林業経済研究』44(1)，pp.117-122

柳幸広登（2006）「ニュージーランドにおける育成的林業の拡大と人工林保有構造の変化―1990年代以降の林業展開を中心に―」『林業経済』58(10)，pp.1-18

矢野俊夫（2008）「ニュージーランド林業の今」『森林技術』797，pp.12-18

山口信行（1991）「機械化の問題点とその方向性」『日林北支論』39，pp.194-198

山岸清隆（2001）『森林環境の経済学』新日本出版社

山本伸幸（2007）「日本・オーストリア森林セクターの産業連関分析」『森林資源管理と数理モデル』6，pp.89-99

米田雅子（2011）『日本は森林国家です』社団法人日本プロジェクト産業協議会

Food and Agriculture Organization of the United Nations（2015）"The Global Forest Resources Assessment 2015" Desk Reference, *Forest area and forest characteristics*, pp.5-6

Forest Partnership Platform（2017）「世界の森林と保全方：マレーシア」

http://www.env.go.jp/nature/shinrin/fpp/worldforest/index4-3.html

Forest Partnership Platform（2017）「世界の森林と保全方：フィリピン共和国」

http://www.env.go.jp/nature/shinrin/fpp/worldforest/index4-4.html

Forest Partnership Platform（2017）「世界の森林と保全方：タイ王国」

http://www.env.go.jp/nature/shinrin/fpp/worldforest/index4-5.html

Jayawickrama JS, Carson MJ（2000）A breeding strategy for the New Zealand radiata pine breeding cooperative *Silvae Genetica* 49(2) pp.82-90

Mizuno, K.,Doi, T,, Ando,S,, Omata,J, and G. Igusa（2016）Relation between Total Factor Productivity and Utility *Journal of Human Resource and Sus−tainability Studies,* 4 (2), pp.130-142

Katsushi Mizuno, Go Igusa, Eiji Takeda, Takumu Doi, Jun Omata（2017）Breaking Open the Closed Nature of forestry *International Journal of SocialScience Studies,* 5 (3), pp.37-44

Mizuno,K. Doi,T. Igusa,G.（2018）Visualization of current state of forestry in Southeast Asia『明治大学商学論叢』100(3), pp.1-14

Shelbourne CJA, Burdon RD, Carson SD, Firth A and Vincent TG（1986）Development Plan for Radiata Pine Breeding, *New Zealand Forest Service,* FRI Special Publication

Theil, H.（1980a）*The System−wide approach to microeconomics.* Chicago, University of Chicago Press

Theil, H.（1980b）*System−wide explorations in international economics, input−output analysis, and marketing research. Amsterdam,* North-Holland Publishing Company

本書の各章は、次の論文を基に著したものである。

本書各章の著者は，下記各論文に記されている名前である。ただし，本書全体について，水野勝之，土居拓務，安藤詩緒，井草剛，竹田英司が統一を図るなど編集を行った。

第 1 章

Katsushi Mizuno, Takumu Doi, Shio Ando, Jun Omata, Go Igusa, Relation between Total Factor Productivity and Utility, *Journal of Human Resource and Sustainability Studies*, 4(2), pp.130-142, June 2016（査読あり）
http://file.scirp.org/pdf/JHRSS_2016063014084785.pdf

第 2 章

Katsushi Mizuno, Go Igusa, Eiji Takeda, Takumu Doi, Jun Omata,
Breaking Open the Closed Nature of Japanese Forestry, *International Journal of Social Science Studies*, 5(3), pp.37-44, March 2017（査読あり）

第 3 章

Katsushi Mizuno, Go Igusa, Eiji Takeda,Takumu Doi, Econometric Research on defeating the shrinking equilibrium of Japanese forestry, 『明治大学商学論叢』100(1), pp.19-33, 2017年12月（査読あり）

第 4 章

Katsushi Mizuno, Takumu Doi, Go Igusa "An Analysis of the Industrial Transaction Efficiency Index for Forestry"『明治大学商学論叢』101(1), pp.1-14, 2018年12月（査読あり）

第 5 章

Katsushi Mizuno, Takumu Doi, Go Igusa "Marketing Analysis of Japanese Tree Species：The Need to Diversify the Uses of Wood"『明治大学商学論叢』101(4), pp.11-21, 2019年 3 月（査読あり）

第 6 章

Katsushi Mizuno, Hiroshi Yokota, Go Igusa, Eiji Takeda, Applied Study of a CES Utility Function Based on a Trial of a New Sakhalin Spruce Product−Integrating Economics and Science−, *Web of Fourteenth Annual Conference of Asia-Pacific Economic Association*, August 2018

http://www.apeaweb.org/confer/LA18/LA18-papers.htm#K

第 7 章

土居拓務, 水野勝之, 井草剛, 竹田英司 "Comparative Study of Forestry in New Zealand and Japan" 『日本ニュージーランド学会誌』25, pp.45-55, 2018年 8 月（査読あり）

第 8 章

Katsushi Mizuno, Takumu Doi, Go Igusa, "Visualization of current state of forestry in Southeast Asia" 『明治大学商学論叢』100(3), pp.1-14 2018年 3 月（査読あり）

索　引

122

[著者紹介]

水野　勝之（みずの　かつし）

早稲田大学大学院経済学研究科博士後期課程単位取得満期退学，博士（商学），明治大学商学部教授。『ディビジア指数』創成社（1991年），『新テキスト経済数学』中央経済社（2017年，共編著），『余剰分析の経済学』中央経済社（2018年，共編著），その他多数。

土居　拓務（どい　たくむ）

2009年明治大学商学部卒業。農林水産省所属，現在明治大学研究・知財戦略機構客員研究員，同大学商学研究所特任研究員。『余剰分析の経済学』中央経済社（2018年，共編著）。『エレメンタル現代経済学』（第2章「ミクロ経済学」）晃洋書房（2016年，共著）。

安藤　詩緒（あんどう　しお）

明治大学大学院商学研究科博士後期課程修了，博士（商学）。常葉大学経営学部専任講師，明治大学商学部兼任講師。『新テキスト経済数学』中央経済社（2017年，共編著）等。

井草　剛（いぐさ　ごう）

早稲田大学大学院人間科学研究科博士課程修了，博士（人間科学）。桜美林大学リベラルアーツ学群非常勤講師を経て，現在，松山大学経済学部准教授。『新テキスト経済数学』中央経済社（2017年，共編著）等。

竹田　英司（たけだ　えいじ）

大阪市立大学大学院創造都市研究科後期博士課程修了，博士（創造都市），長崎県立大学地域創造学部准教授。「地場産業の集積メカニズム」『地域経済学研究』32，pp.60-75（2016年），「産地型中小企業集積地の存続要因に関する実証研究」『産業学会研究年報』26，pp.169-182（2011年）等。

その他著者

　　小俣惇（総務省政策統括官（統計基準担当）付統計審査官付係員）

　　横田博（酪農学園大学名誉教授）

林業の計量経済分析

2019年11月25日　　初版発行

編著者：水野勝之・土居拓務・安藤詩緒・井草剛・竹田英司
発行者：長谷　雅春
発行所：株式会社 五絃舎
　　　　〒173-0025　東京都板橋区熊野町46-7-402
　　　　TEL・FAX：03-3957-5587
検印省略　　ⓒ　　2019
組版：Office Five Strings
印刷・製本：モリモト印刷
Printed in Japan
ISBN978-4-86434-107-3